차가운
자본주의

차가운 자본주의

윤루카스 지음

RISE

1부
시장에 관하여

2부

세상에 관하여

3부

내 삶에 관하여

작가의 말

초판 절판시켜 버렸다

책 초판을 절판시켜 버렸다.

절판하면 기존에 달성했던 경제/경영 베스트셀러 1위가 다시 제로로 돌아간다.

판매 부수도 제로로 돌아간다.

최근에 커뮤니티에 올린 글들이 내 원래 필체다.

초판을 읽어본 이들은 평소 내가 올리던 글이 맞나 싶을 정도로 다름을 느꼈을 것이다.

출판사 스타일로 순화시켰다.

불필요하게 늘여놓은 문장이 많고, 미사여구가 추가되는 등 나와 결이 맞지 않는 부분이 많았다.

아니, 솔직히 내 스타일과 정반대다.

이리 해야 잘 팔리는 건가 보다 하며 그냥 받아들였다.

솔직히 잘 팔리는 것도 맞다.

지금도 주문이 폭발적이다.

전국 서점 어디를 가도 재고가 순식간에 나가서 책을 구하지 못하는 지경이다.

그러나 내용만 내 것일 뿐 내 새끼가 아닌 것 같다.

내 글이 아닌 것 같아 조금도 애착이 느껴지지 않았다.

늦었지만 내 날 것의 필체를 내놓기로 하였다.

손해다.

서점과 웹사이트에 베스트셀러로 진열되어 있어야 더 많은 구매가 이루어진다.

개정하지 않고 베스트셀러 1위를 유지하며 파는 것이 이득이다.

출판사도 내켜 하지 않았다.

미친 듯이 잘 팔리니까.

공급 물량이 후달려서 배송 지연으로 감당 안 될 정도다.

삶을 대하는 태도에 관한 챕터를 6개 추가했다.

저 챕터 읽는다고 당신 인생이 바뀔 것이라는 개소리는 하고 싶지 않다.

나는 그딴 거 안 믿는다.

그저 내 처절했던 삶에 관한 글이다.

이미 절판시킨 지 며칠 되어 1위에서 밑바닥으로 내려가고 있다.

밑바닥부터 다시 올라와야 한다.

출판사에겐 미안하지만 걱정 마라

보란 듯이 베스트셀러 1위를 다시 가져올 것이다.

윤루카스

프롤로그

당신을 위해 글을 쓰지 않는다

한국인의 돈을 대하는 태도는 형용하기 힘들 정도로 역겹다. 돈과 행복은 상관없다는 개소리를 해대면서도 눈이 시뻘게져 돈을 갈구한다. 있는 놈들에게 욕을 싸질러대면서도 그들의 SNS를 보면 너도나도 있는 놈처럼 보이려고 한다. 안쓰러울 정도로 염병에 육갑들을 떨고 있다.

꿈을 꾸는 것 같다. 모순된 자신을 보며 정신이 무너지지 않고 버티는 것이 신기하다. 위선의 렌즈가 그 탐욕 어린 눈동자를 가리지 못한다.

나는 책이나 유튜브에서 돈 때문에 하는 것이 아니라며 지껄이는 놈은 그냥 거른다. 대중을 개돼지 취급하는 것이나 다름없으며, 그것에 속는 닭대가리들도 더럽게 한심하게 생각한다. 돈 때문에 하는 게 아니면, 니들 책 인세도 전액 기부해라.

나는 그 위선이 역겹다. 의사도 돈 안 주면 사람 안 살린다. 돈 앞에 거짓 된 눈동자를 비추지 마라. 그것은 돈을 존중하는 태도가 아니며, 나도 이 책 돈 때문에 썼다. 다른 거창한 명분은 없으며 오로지 돈이다. 욕해라. 안 말린다.

자본주의는 욕망과 엮여 아름다움을 창조해 왔다. 머리가 장식이 아니면 생각해보라. 책에 뜬구름 잡는 개소리만 나열되어 있으면, 당신부터가 이 책을 주변에 권하지 않을 것이며, 결국 누구의 추천도 받지 못하고 소리 없이 묻힌다. 당신이 지불한 것보다 반드시 많은 가치를 전달해야 바이럴 되어 책이 잘 팔린다.

돈을 벌려면 가치에 충실해야 하며, 내가 돈 벌려고 책을 냈기에 책에서 뽑아 먹을 가치가 존재한다. 나는 알고 있다. 가치 없으면 버려진다는 것을. 당신도 받아들여라.

나는 유튜브에서 늘 말한다.

"나 이거 돈 벌려고 한다."

"당신들 예뻐서 방송하는 거 아니다."

나는 돈을 위해 진심을 담고, 돈을 위해 가치를 고민하며, 돈을 위해 열정을 갈아 넣었다. 그래서 10일 만에 10만 명이 구독했다.

빵집 주인은 본인을 위해 빵을 굽는다. 이를 외면하여 도대체 당신 손에 무엇이 남았는지 나로서는 개뿔 조금도 이해 가지 않으며, 그딴 한심하고 썩어빠진 생각으로는 평생 개천에 꼬라박혀있지나 않으면 다행이다.

나에게 악마라고 해도 좋다.

어차피 난 이미 자본주의의 악마라고 불린다.

새겨들어라.

나는 당신을 위해 글을 쓰지 않는다.

1부

시장에 관하여

시장경제의 역사

애덤 스미스(Adam Smith)는 경제학의 아버지로 불린다. 그는 일생을 바쳐 《국부론》을 완성했는데, 경제학이라는 단어조차 등장하지 않을 정도로 초창기 경제학자다. 그보다 앞선 2천 년 전에 시장경제에 대해 말한 이들이 있다. 중국 전국 시대 법치주의자이자 진시황의 총애를 받았던 한비자이다.

그의 말이다.

"의사가 입으로 환자의 상처에서 고름을 빨아내는 이유는 환자를 불쌍히 여겨서가 아니다. 병을 고쳐주고 돈을 받기 위한 것이다."

"수레를 만드는 전문가는 많은 사람이 빨리 부자가 되기를 바란다. 부자들이 많아져야 돈을 벌기 때문이다."

"관을 만드는 전문가는 많은 사람이 하루라도 빨리 죽기를 바란다. 사람이 죽어야 돈을 벌기 때문이다."

당신에게 묻겠다. 수레 제조업자가 선한 사람인가? 관 제조업자가 포악하고 잔인한 사람인가? 그들은 오직 사익에 따라 행동했을 뿐이다. 한비자는 사람의 마음을 움직이는 가장 큰 요소는 애정이나 동정심, 의리, 인정이 아닌 오직 개인의 이익이라 하였다. 지금으로부터 약 2천 2백 년 전에 시장경제의 본질을 말했다.

중국 전한의 역사가이자 《사기》의 저자로, 동양에서 역사학을 정립한 최고의 역사가로 칭송받는 사마천은 기원전 91년 옥중에서 《사기》를 완성했다. 《사기》의 규모는 본기(本紀) 12권, 연표(年表) 10권, 서(書) 8권, 세가(世家) 30권, 열전(列傳) 70권 모두 130권 52만 6천 5백 자에 이른다.

이중 열전에서는 돈과 관련된 인간의 심리적 특성과 행동을 주로 다루었다.

"사람의 귀와 눈은 좋은 소리와 색깔을 즐기려 하고, 입으로

는 맛있는 음식을 맛보려고 하고, 몸은 안락과 향락을 즐기고, 마음은 권세와 지위를 과시하려 한다."

"인간이 돈을 좋아하는 것은 당연하기에 가르칠 필요가 없다."

사마천도 알고 있었다. 인간은 선천적으로 사익과 쾌락을 좇는 동물임을. 옛사람인 한비자와 사마천도 시장경제의 존재와 인간 욕망이 경제 활동의 원천임을 말한다. 시대를 관통하는 진리다. 과거의 이들도 시장경제의 존재를 말하였는데, 현시대를 살아가는 당신들이 이를 부정하는 것을 보면 어이가 없다.

시장경제는 영겁의 시간 동안 당신과 함께했다.

"사람들은 오라고 부르지 않아도 자기 발로 오고,

[不召而自來, 불소이자래]

일부러 시키지 않아도 자기들이 물건을 낸다."

[而民出之, 불구이민출지]

_사마천

시장의 아름다움

소고기 먹을 때 감사하라. 같은 소고기도 완전히 다른 과정을 거치며 당신 입에 꽂힌다. 당신은 전문가가 기른 소를, 전문가가 도축하고, 전문가가 유통하고, 전문가가 포장하고, 전문가가 구워주는 서비스를 돈만 주면 누릴 수 있다.

그러나 찢어지게 가난한 나라에 사는 이들은 직접 소를 기르고, 직접 도축하고, 직접 가죽 벗기고, 직접 유통하고, 직접 보관하고, 직접 구워야 한다. 당신 혼자서 다 할 줄 알아야 한다는 말이다. 하지만 당신은 끝내주게 잘 사는 나라에 태어난 덕에 소 기르고 잡는 방법 같은 것들 따위 알게 뭔가.

생각해보라. 당신이 직접 송아지를 길러 먹으려면 최소 2년은 걸린다. 최저 시급으로 계산하여도 당신의 시간이 투여되는 것을 생각하면, 소고기 먹기 위해 천문학적인 기회비용을 갈아 넣게 된다. 현존하는 가장 비싼 소고기보다 더 비쌀 것이다.

그러나 당신들은 쿠팡에서 몇만 원이면 클릭 한 번으로 손질된 소고기가 몇 시간 만에 문 앞으로 새벽 배송된다. 이게 바로 시장경제의 마법이다. 시장경제 시스템에서는 개인이 이것저것 잘할 필요 없다. 당신 분야 하나만 잘하면 된다. 그러면 나머지 분야에서 바보 등신이어도 잘 살 수 있다. 이것이 마법이 아니고 무엇인지 내게 말 좀 해주라.

사실 나만 봐도 대개 분야에서 허당이다. 요리를 일절 할 줄 모르고, 카메라나 마이크, 조명 등 유튜브 방송을 위한 장비를 세팅하는 법도 모른다. 앞으로도 알 필요 없다. 업계 최고 전문가 쓰면 그만이다(참고로 매우 만족스럽다.).

각 경제 주체가 자신의 분야에서 딱 하나만 잘하려 노력하기에 각자가 제공하는 서비스의 질과 양은 압도적으로 높아진다. 당연한 것 아닌가. 사람이 하나에만 집중하면, 그 일 하나만큼은 이것저것 다 건드리는 이들보다 훨씬 잘하는 법이다.

애플은 전자기기, 현대건설은 아파트, 대한항공은 항공 서비스에 주력한다. 이렇게 탄생한 최고의 재화와 서비스를 돈만 주면 전부 누릴 수 있게 내놓은 곳이 시장이다. 이리 아름다운 시장경제가 돌아가지 않는 나라가 어디인가. 윗 동네다. 그쪽 동네는 죽어라고 자력으로 해결하자 외친다.

당신이 시리얼 회사 사장이라 하자. 우리나라 옥수수는 킬로당 2만 원, 미국 옥수수는 킬로당 2천 원이다. 당연히 미국 옥수수로 제조해야 소비자도 효용을 누리고, 당신 회사 경쟁력도 생긴다. 자력으로 하면 망한다.

대한민국의 무역 의존도는 40%가 넘는데, 이는 다른 나라의 두 배 수준이다. 이 나라는 대기업의 수출이라는 시장경세 시스템으로 기적 같은 성장을 이룬 나라다. 이런 나라에서 무역에 의존하지 말고 자력으로 해결하자는 말을 쪽팔린 줄도 모르고 대기업 총수 30명 앞에서 지껄인 인간에 대해 형용할 수 없는 한심함을 느낀다.

자력이 그렇게 좋으면 자력으로 살아라. 안 말린다. 장담컨대 무인도에 당신 던져 놓으면 하루 만에 반병신 된다. 북한은 굶어 죽은 이들이 지금까지 300만이다. 감이 안 올텐데, 대전광역시와 광주광역시 전체 인구를 합쳐도 290만이다. 광역시 두

개 전체 인구가 싹 다 굶어 죽은 것이다.

시장경제 없이 자력으로 해결하는 나라는 이렇게 끔찍하다. 자력으로 해결하자는 말은 북한의 트레이드 마크다. 자유시장경제는 당신의 선조들이 그 북한의 침략으로부터 피를 철철 흘려가며 지켜낸 것이다. 그들이 흘린 피 위에 당신이 풍요 속에 살고 있다. 그렇기에 국가공휴일까지 지정하며 조기 게양하고 묵념하는 것이다. 절대 유난 떠는 것이 아니다.

좀 감사하며 살아라.

포로수용소의 시장경제

영국의 경제학자 리처드 래드퍼드(Richard Redford)는 제2차 세계대전 당시 독일군 포로수용소에 감금된 경제학자다. 그는 수용소에 갇혀있으면서도, 그곳에서마저 자유 시장이 존재한다는 것을 발견했다. 수용소의 포로들은 적십자에서 구호품을 배급받았는데, 통조림 우유, 통조림 소고기, 빵, 과자, 잼, 버터, 담배 등을 받았다.

프랑스 포로들은 커피를 선호했지만, 영국 포로들은 차를 선호했고, 힌두교와 이슬람교의 영향을 받은 시크교도들은 소고기와 면도날을 사용하지 않았다. 포로마다 각 재화에 대한 선호도가 제각각이었다.

특정 재화를 소비했을 때 얻는 욕망의 만족도를 효용이라 하는데, 포로들은 서로의 효용을 효과적으로 증가시킬 수 있도록 포로수용소 내 자유 시장을 자연 발생시켰다. 모든 배급품의 상대적 가격이 결정되었으며, 담배가 화폐의 역할을 했다.

선물 시장도 생겼다. 선물은 어떤 상품을 미래의 특정 날짜에 넘겨주겠다고 매수매도 거래를 약속하는 것이다. 이 상품은 주식이 될 수도 있고, 실물이 될 수도 있다. 계약을 한 것이기에 약속한 날짜에 상품을 매도한 이는 반드시 상품 매수자에게 상품을 넘겨야 한다.

당신이 빵을 선물 계약했다 하자. 10달러에 팔기로 계약했는데, 약속한 날짜에 빵이 11달러가 되어있으면 판 사람이 손해다. 반대로 약속한 날짜에 빵이 9달러가 되어 있으면 산 사람이 손해다. 포로수용소에서는 빵을 월요일에 배급했고, 빵이 남아있는 이와 빵이 없는 이가 일요일 저녁에 빵을 거래했다. 현재 빵이 없는 이가 월요일에 받을 빵에 프리미엄을 얹어서 되갚는 조건으로 말이다. 명백한 선물 시장이다. 심지어 커피는 수용소 철조망을 넘어 독일의 암시장에서 거래된다.

래드퍼드는 전쟁이 끝난 후 런던 정경 대학 학술지에 〈포로수용소의 경제조직〉이란 논문을 발표했다. 자유 시장은 인공적으로 만들어지는 것이 아니며, 인간 본성이 자연스럽게 발생시킨다는 것이 골자다.

인간 본성을 근간으로 한 자유 시장을 인위적으로 틀어막는 것은, 수많은 이들의 효용을 증가시킬 기회도 막는 것이며, 영국 포로들은 마시지도 않는 커피를 썩어 문드러질 때까지 가지고 있었을 것이고, 프랑스 포로들은 마시지도 않는 차를 썩어 문드러질 때까지 가지고 있었을 것이다. 자유 시장은 인간 본성이 만들어 낸 축복이다.

독일군 포로수용소와 상반된 사례로 일본군 포로수용소에서는 상급 장교 포로들이 물자를 나눠주고, 배급품 거래를 금지했다. 그 결과 일본군 포로수용소의 사망률은 독일군 포로수용소보다 12배나 높았다. 압도적이다.

1974년 노벨경제학상을 수상한 프리드리히 하이에크(Friedrich Hayek)는 오스트리아학파 출신의 대표적인 자유주의 경제학자다. 그는 경제적 통제란 개인이 추구하는 목표를 이루기 위한 수단을 통제하는 것이며, 통제를 가하는 이들도 결국 어떠한 목표를 추구하고 있는 것은 마찬가지라 하였다.

의미심장하다.

사람을 믿지 않는다

애덤 스미스《국부론》의 일부다.

"개인의 이기심과 공공의 이익은 얼마든지 조화를 이룰 수 있다. 개인의 이기심을 따르는 게 도덕을 강요하는 것보다 공공의 이익에 바람직하다."

1860년대, 영국은 해가 지지 않는 나라였다. 지도에 표시된 모든 지역이 영국 땅이다. 저곳이 싹 다 식민지다. 당시 영국은 식민지 건설을 위해 죄수들을 호주로 이송했다. 배를 태워 이송했고, 영국 정부는 선장들에게 죄수 인원수에 맞춰 위험수당과 식량, 물, 의약품을 제공했다.

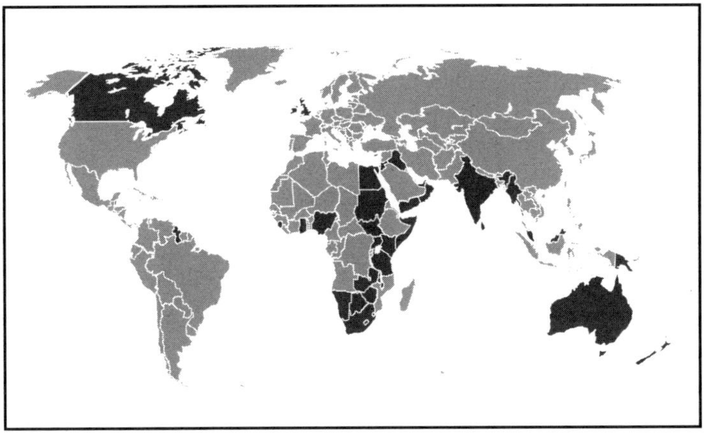

대영제국 시절의 지도

그러나 선장들은 죄수에게 먹을 것도 제대로 주지 않았고, 병든 죄수의 치료도 모른척하며 처참하고 가혹한 삶을 살게 했다. 왜 그리 잔인했을까. 죄수가 죽어도 선장에게는 아무런 불이익이 없기 때문이다. 오히려 남은 음식이나 약품을 비싸게 되팔 수도 있으니, 죄수가 죽을수록 이득이라 생각했을 것이다. 이런 생각까지 하는 나를 악마라고 생각할지 모르겠다. 그러나 나는 인간의 속성이 그리 아름답지 않음을 믿는다.

마침내 호주에 도착했을 때 죄수의 생존율은 40%도 되지 않았다. 거의 다 죽은 것이다. 당신들은 아마 선장들을 악질이라

여길지 모르겠다. 인간은 원래 돈 앞에서 한없이 잔인해지고 냉정해진다. 결국 영국에서는 난리가 났다. 인권 단체와 교회, 정부 기관 등이 죄수의 처우를 개선해 달라 호소한다.

하지만 말을 들어 처먹을 인간들이면 애초에 그딴 짓거리를 하지 않았을 것이고, 당연히 간곡한 부탁에도 불구하고 죄수의 생존율은 처참한 수준을 유지한다.

그러자 한 경제학자가 다음과 같은 제안을 한다.

"영국에서 출발할 때 죄수 숫자가 아니라 호주에 도착했을 때 생존한 죄수 숫자로 운반대금을 계산하자."

어떻게 됐을까. 생존율이 98% 이상으로 올라갔다. 경이롭다. 갑자기 선장들의 도덕심이 높아진 걸까. 그렇게 생각했다면 당신이 어떤 꼴로 살고 있을지는 안 봐도 뻔하며, 어디 가서 등쳐먹히지나 않으면 다행이다. 돈 때문이다. 죄수와 함께 무사히 호주 항구에 도착해야만 돈을 더 많이 받기 때문이다.

배 정원의 몇 배에 달하는 인원을 구겨 넣으면서, 위생시설도 개뿔 아무것도 만들지 않고, 쓰레기 같은 음식만 먹였던 악마새끼들이 갑자기 착해졌다고 믿는가? 어이가 없다. 선장들의 탐욕과 이기심이 죄수들에게 좋은 음식과 깨끗한 위생시설을 제공한 것이다.

인간의 행동을 유도하기 위해서는 인간의 속성을 정확히 이해해야 한다. 인간이 따뜻하고 선한 존재라는 걸 믿고 법을 만들면, 반드시 망하기 마련이다. 인간은 악하고 돈을 사랑하는 존재라는 걸 믿고 법을 만들어야 한다.

그래서 세상은 원래 따뜻하다 지껄이는 놈들이 위험하다. 그런 정신 나간 놈들이 어떤 식으로 법을 만들지는 뻔하며, 그렇게 만들어진 법은 세상을 더 잔혹하고 끔찍하게 조각하는 뇌관이 된다. 그래서 내가 생판 모르는 남이라도 세상이 따뜻하다는 개소리는 못 하는 것이다.

세상은 얼음보다 차갑다. 잔혹하다. 나는 사람을 믿지 않는다. 돈을 믿는다. 유튜브, 인스타그램 디엠, 이메일로 수많은 공격을 받는다. 핸드폰을 켜면 살해 협박이 매일 같이 와있고, 내가 범죄자라는 허위 자격도 올라왔다. 특정 세력이 세상은 따뜻한 것이라며 기껏 세뇌 다 시켜놨는데, 내가 당신들을 다시 빼오기 때문이다.

시장은 감정이 없다

압구정 현대아파트 실거래가가 60억 찍혔으면 뭔가 잘못된 것인가? 시장이 정한 시장가격이며, 시장 참여자들이 그 가격에 동의하여 형성된 것이기에 조금도 문제없다. 20년 전만 해도 압구정 현대가 30억을 넘길 것이라 떠들고 다녔다면 정신병자 취급했을 것이다.

가슴에 손을 얹고 생각을 해보라. 당신이 20년 전으로 돌아가 강남에 지나다니는 아무 노인이나 붙잡고, 저 아파트가 나중에 30억 될 거라 해보라. 젊은 친구가 벌써 정신이 나갔다는 소리나 들을 것이다.

압구정 아파트는 30억이 아니라 60억을 넘겼다. 시장은 개인의 감정을 전혀 신경 쓰지 않는다. 오로지 수요자와 공급자의 합의에 의한 거래를 통해 가격을 결정할 뿐이다. 당신이 압구정 아파트가 너무 비싸다고 목이 터져라 백날 부르짖어봤자, 시장은 당신의 절규를 조금도 신경 쓰지 않으며, 무엇도 바뀌지 않는다.

시장은 인간이 아니기 때문이다. 시장은 시장일 뿐이다. 당신이 뭔가 갖고 싶다면 그 재화의 가격을 부정하지 마라. 그럴수록 그 재화는 멀어지게 된다. 지금 내 기준에는 비싸지만, 더 비싸질 수도 있음을 받아들여라. 반대로 지금 내 기준에는 싸지만, 앞으로 더 싸질 수도 있음을 받아들여라.

이런 판단이 있어야 투자자로서 성장이 있고, 그 안에서 기쁨도 있는 것이다. 백날 강남 아파트 가격이 왜 저따위냐고, 세상이 잘못된 것이 틀림없다고, 탐욕스러운 자본주의의 돼지새끼들 때문이라고 외쳐봐라. 더러운 부자들과 기득권 개자식들 때문이라는 소리나 주구장창 처 해봐라. 인생이 바뀌나. 평생 밑바닥에서 그 모양 그 꼴로 살 것이 뻔하다.

그럴 바에 그냥 일찍 죽어버리는 게 어떤가.

시장에 감정 따위 없다.

시장경제와 소비자

자본주의 하에서 소비자는 모두가 갖고 싶은 존재다. 영세한 구멍가게들뿐만 아니라 거대 기업들도 소비자를 갖고 싶어 한다. 어떻게 해야 소비자가 좋아할지. 모두가 소비자의 마음을 얻기 위해 발악한다. 돈이 되기 때문이다. 그러나 소비자의 선택을 받기가 어디 쉬운가.

가끔 선택받을 때는 더할 나위 없이 행복하지만, 매번 잠깐일 뿐이며, 더 나은 선택지가 생기면 소비자는 언제든 떠난다. 그래서 기업들은 이 순간에도 소비자의 마음을 얻기 위해 치열한 전쟁 속에 산다. 뼈를 깎고 부러트리는 노력을 한다. 품질을 개선하고, 편의성을 개선하며, 가격을 개선한다.

이렇게 발악해도 망하는 이들이 훨씬 많다. 시장경제에선 소비자가 갑이다. 소비자가 갑이어야만 한다. 그래야 국가의 경제적 후생이 증가한다. 그러나 정부가 마음대로 소비자의 선택에 개입하면 소비자는 갑에서 내려온다.

기업들은 더 이상 소비자의 마음을 얻기 위해 발악하지 않고, 정부의 마음을 얻기 위해 발악한다. 소비자고, 나발이고 정부에게 잘 보이기만 하면 돈을 버는데, 고객 만족이고, 품질 경쟁이고 그딴 것들이 알 게 뭔가. 결국 그 피해는 고스란히 소비자에게 돌아간다.

소비자의 자유로운 선택을 존중할 때 시장은 가장 건강한 상태를 유지하며, 그 과정에서 공정한 경쟁이 이루어진다. 나는 그래서 소비자의 선택을 강제로 제한하려는 놈들을 경멸한다. 상생이니 균형이니 실효성이라고는 개뿔 아무것도 없는 뜬구름 잡는 소리나 해대며, 강제로 특정 기업을 규제하고 페널티를 주는 걸 보면 기가 찬다. 정말 골때린다.

당신도 소비자임을 기억하라.

당신을 과녁으로 삼지 마라.

시카고의 버스 기사

미국 시카고의 레이크쇼어 도로는 그랜트 공원과 미시간호의 멋진 경관이 펼쳐지는 아름다운 도로다. 그러나 이곳도 지옥 같은 교통 체증에서 자유로울 수 없다. 고속도로가 밀리면 일반 도로로 우회하여 빨리 갈 수 있지만, 시카고의 시내버스는 대부분 교통체증 속에서도 우회하지 않는다.

버스 배차간격은 10분이지만, 교통체증의 여파로 30분에 3대가 한꺼번에 도착할 정도다. 기사들이 길을 몰라서일까. 해당 지역에서만 운행하는 기사들이 우회 가능한 길을 모를 리 없다. 고속도로에서도 승객들을 태워야 하기 때문일까. 고속도로에는 정류소가 없다.

간단하다. 빨리 가야 할 이유가 없어서다. 시카고 버스 기사들은 승차한 승객 수나 전체 운행 횟수 같은 실적으로 월급을 계산하지 않는다. 순전히 근무한 시간에 비례하여 월급을 받는다. 월급이 충분하지 않은 것 아니냐 할 수 있겠으나 시카고 버스 기사는 미국 버스 기사 중 일곱 번째로 높은 보수를 받고 있다.

돈의 액수가 아니라 돈을 주는 방식의 문제다. 실례로 칠레 산티아고의 버스 기사들은 태운 승객 수에 비례하여 월급을 계산한다. 당연히 운행 시간을 철저히 지킨다. 교통체증이 생기면 지름길로 즉시 우회하며, 기사들은 식사 시간과 휴식 시간까지 아껴가며 최대한 많은 승객을 실어 나르려 발악한다.

그만큼 부작용도 있다. 교통사고가 자주 발생하고, 운전도 난폭해진다. 급출발을 하니 승객들의 멀미도 유발한다. 버스 기사들에게 태운 승객 수에 비례하여 보수를 지급하더라도, 난폭한 운전으로 불편을 준다는 컴플레인이 들어올 시 봉급 삭감의 페널티를 준다면 어느 정도 불편을 상쇄할 수는 있겠으나 완벽한 결과를 기대하기는 힘들다.

모든 선택에는 대가가 있기 마련이다. 인간의 행동을 원하는 방향으로 유도하려면 경제적 유인을 제공해야 하는 건 맞다. 그러나 돈의 액수로만 유인하는 것은 한계가 명확하고 효용이 떨어진다.

에픽테토스(Epictetus)는 제한된 재화로 욕망을 충족할 수 있는 세상이 모든 경제학자의 꿈이라 하였다. 경제학의 본질은 최소한의 투입으로 최대한의 만족을 끌어내는 것에 있다.

시장 실패

당신이 길을 걷다 꽃집을 지나간다. 예쁜 꽃 덕분에 당신 기분이 좋아졌다면, 당신은 꽃집 사장에게 돈을 주는가. 아파트 층간소음을 발생시키면 피해 입은 아래층 이웃에게 돈을 주는가. 주지 않는다. 이처럼 한 사람의 행위가 제3자에게 이익이나 손해를 주지만, 그에 따른 보상은 이루어지지 않는 상황을 외부효과(External Effect)라 한다.

외부 효과 때문에 시장이 자유롭게 기능하도록 맡겨둘 때 효율적인 자원 배분을 달성하지 못하는 경우가 있으며, 이를 시장 실패라 한다. 대표적인 예가 종이 공장이다. 종이 생산 과정에서 나오는 다이옥신이 폐수에 그대로 남게 되는데, 이는 심각한 환경 오염을 초래한다.

정부의 개입이 필요할 때다. 세금으로 억제하지 않으면 기업들은 환경이고 뭐고 미친 듯이 종이를 찍어낼 것이 분명하다. 자동차 배기가스도 마찬가지다. 대부분의 인간은 환경 따위 신경쓰지 않고 차를 몬다. 정부가 배기가스 허용기준을 정하고, 세금을 부과해야 휘발유 소비를 억제할 수 있다.

오랜 역사가 담긴 한옥마을도 마찬가지다. 예쁜 한옥마을을 본 당신의 기분은 좋아지겠지만, 한옥 소유자는 죽어라고 깨끗이 관리해도 돌아오는 이득이 전혀 없다. 따라서 정부가 이들의 세금을 깎아주거나 한옥 수리 비용을 지원함으로써 시민들은 긍정적 외부 효과를 누릴 수 있다.

또 다른 예로, 미국 캘리포니아주의 사이프러스시는 개가 30분 이상 짖으면 동물 보호국 요원이 주인을 찾아가 1차 경고를 한다. 2차 적발이 되면 250달러의 과태료를 부과한다. 이렇게 하지 않으면 남이야 소음으로 고통받든 말든 대부분 인간들은 신경조차 쓰지 않는다.

부정적 외부 효과는 세금을 부과하여 억제하고, 긍정적 외부 효과는 보조금 지급과 세금 혜택을 주어 극대화시키는 것이다.

이러한 세금을 사용하자고 주장한 이가 영국의 경제학자인 아서 피구(Arthur C. Pigou)다. 그래서 이를 '피구세'라 하며, 실제로 효과가 있다.

오염물질을 내뿜는 공장들이 생산을 중단하지 않을 정도의 적정 세금만 부과하면 세금을 덜 내기 위해 오염물질을 줄이는 방법을 시장 참여자들이 머리를 싸매고 연구하기 마련이다.

다시 말해 시장 참여자들에게 외부 효과에 대한 책임을 정확히 인지시키고, 적극적으로 환경 친화 기술을 채택하도록 경제적으로 유인하는 것이다. 이는 경제적 효율을 향상시킬 뿐만 아니라 정부의 조세수입도 증가시킨다.

여기서 한가지 짚고 넘어갈 부분이 있다. 시장 실패는 시장이 항상 실패한다는 말이 아니다. 극소수의 예외가 있을 뿐이다. 그런데도 일부 멍청한 놈들은 허구한 날 시장 실패를 들먹이며 자유 시장의 가치를 깎아내리고, 정부의 시장개입을 정당화한다.

대기업과 공기업 중 어느 쪽이 대한민국의 번영을 이끌었는가. 정부가 아닌 시장이 번영을 이끌었다. 시장 실패가 시장의 본질인 것처럼 말하는 인간들을 나는 더럽게 한심한 닭대가리들로 여기며, 경험상 그런 자들은 정부 개입으로 이득을 보는 위치에 있는 자들이다.

많은 이들이 내가 시장경제를 옹호한다고 하여 무정부주의자라는 프레임을 씌운다. 정말 골때린다. 시장이 해결할 수 없는 영역도 명확하기에 정부의 역할도 분명 존재한다. 국방, 소방, 도로, 치안 등 시장에서 해결할 수 없는 영역은 정부가 적극 개입해야 한다고 믿는다.

그러나 시장의 속성이 아름다운 것은 이와 별개다. 장미에 가시가 있으나 그 본질은 아름다움인 것과 같다.

신용 창조

정장 갖춰 입고, 넥타이 매고, 명패 착용하고 창구에 점잖게 앉아있을 뿐 은행의 수익구조는 사채업자와 비슷하다. 그들은 자선하는 것이 아니라 이익을 추구하는 집단이며, 당신이 은행에 예금하면 은행은 그것을 보관하고 있지 않고 다른 이에게 빌려줌으로써 이익을 낸다는 건 이미 알고 있을 것이다.

그러나 빌려준다는 말은 정확하지 않다. 당신이 카카오뱅크에 1,000원을 예금했는데, 카카오뱅크가 당신의 1,000원에서 900원을 나에게 빌려줬다. 그러면 당신 통장에 찍혀있는 1,000원이 사라지는가? 아니다. 시장에 실제 있는 돈은 1,000원이지만, 당신의 1,000원과 내 900원이 합쳐져 난데없이 1,900원으로 돈 복사가 돼버린 것이다. 세상에 없던 900원이라는 새로운 돈이 만들어졌다.

여기서 갑자기 튀어나온 900원을 '신용통화'라 한다. 이런 미친 짓이 어떻게 가능한 걸까. 약속 때문이다. 은행이 1,000원 예금을 받으면 10%인 100원만 남기고, 900원은 대출해주어도 된다고 정부와 약속한 것이다.

은행의 모든 고객이 한 번에 돈을 싹 다 찾지는 않을 것 아닌가. 이 약속은 1963년 미국 연방준비은행(FRB) 업무 매뉴얼에도 나와 있다. 90%를 대출해주고 남긴 10%를 '지급준비율'이라 하며, 900원을 대출해주고 남긴 100원을 '지급준비금'이라 한다.

은행은 돈을 창조하여 돈을 버는 사업체라는 말이다. 대출받은 900원을 또 다른 은행에 예금하면, 그 은행은 또 90원만 남기고, 810원을 다른 이에게 빌려준다. 이런 식으로 돈 복사가 이루어진다. 이것이 자본주의의 진실이다.

물론 본원통화(RB)의 공급량에 따라 돈 복사의 정도가 결정되고, 통화승수(본원통화의 통화 창출 능력)가 존재하여 무한으로 돈이 복사되는 건 아니다. 이 돈 복사를 그럴듯하게 말하면 '신용창조'라 하며, 이는 물가가 오르는 이유 중 하나다.

시장에 돌아다니는 돈의 양을 '통화량'이라 하는데, 통화량 증가 그래프와 물가 상승 그래프가 소름 돋게 비슷한 것을 볼 수 있다.

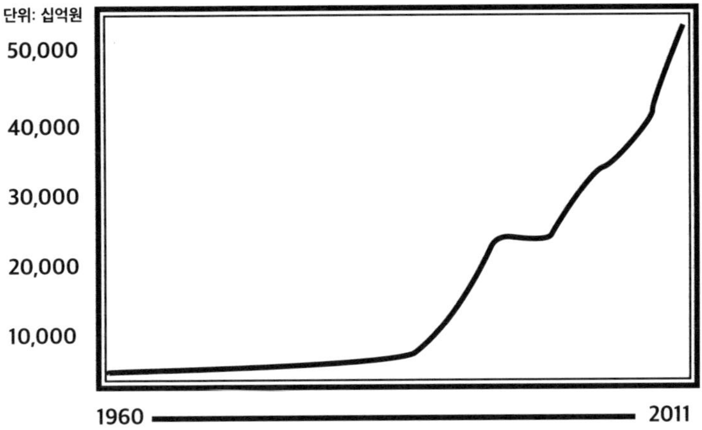

대한민국의 통화량

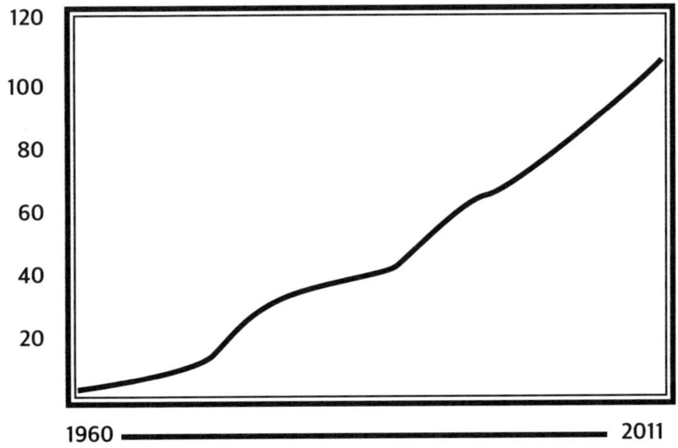

대한민국의 물가

당신이 내 글을 읽는 와중에도 당신 호주머니에 꽂혀있는 만 원짜리의 가치가 꼬라박고 있다. 자본주의 사회는 돈으로 굴러가는 사회인 동시에 돈을 창조하는 사회다. 그리고 그 중심에는 은행이 있다.

화폐가치 하락이 누군가에게는 비극일 수 있다. 그러나 신용창조가 수많은 사업 투자유치의 원천이자 윤활제다. 눈부신 문명을 조각했다는 것은 명확하다.

적정 이윤

나는 이 글을 왜 쓰는가. 이윤을 내기 위함이다. 이윤 추구는 본능의 영역이며, 이윤 추구의 효과적 달성을 위해 만들어진 것이 기업이다. 기업의 존재 목적 자체가 이윤 추구다. 그러나 모든 기업이 이윤을 내는가. 손실 내고 망하는 기업이 더 많다.

인간이 끊임없이 태어나고 죽는 것처럼, 기업도 끊임없이 탄생하고 죽는다. 차이가 있다면 사람은 병이 나면 죽고, 기업은 이윤을 내지 못하면 죽는다. 그래서 기업에 이윤이란 생명과도 같다. 이윤 추구는 그 자체로 부가가치를 창출하기도 한다.

이윤을 창출하려면 생산해야 한다. 생산하려면 고용해야 한다. 이 과정에서 기업은 정부에 세금을 낸다. '생산 + 고용 + 납세'를 동시에 수행한다. 여기서 끝이 아니다. 노동자는 기업에 받은 월급으로 소비하며, 정부는 기업에 받은 세금으로 소비한다.

소비를 어디에 하는가. 기업에 한다. 그 소비 덕분에 또다시 이윤이 생긴다. 이처럼 기업의 이윤 추구는 선순환의 고리를 만들며 경제를 풍요롭게 하는 원천이다. 경제의 피라는 말이다.

이윤은 기업의 미래를 위한 에너지원이기도 하다. 올해 장사가 잘된다 하여 내년에도 장사가 잘된다는 보장은 없지 않은가. 이윤에 악이라는 프레임을 씌우고 적정 이윤이라는 기괴한 단어를 만듦으로써 이윤을 제한하려는 세력들을 나는 인간 취급도 하지 않는다.

'과도한 이윤 추구는 나쁜 것'

'적정한 이윤 추구는 선한 것'

정말 골때린다.

하나만 묻자. 당신이 이윤을 많이 추구한다 하여 이윤을 많이 낼 수는 있는가? 염병에 지랄들을 해라. 시장에서 소비자의 선택을 받아야만 한다. 소비자의 선택을 많이 받으면 이윤이 많이 늘고, 소비자의 선택을 조금 받으면 이윤이 조금 는다.

이윤에 '적당히'가 도대체 어디 있는가. 당신부터가 돈을 적당히 벌고 싶지 않을 것이다. 위선의 잣대 좀 그만 처 들이밀어라. 적당히 돈을 벌라는 것은 공산이념과 다를 바 없다.

요즘 세상에 그런 게 어디 있겠냐 하겠지만, 남들을 시궁창에 처박힌 자신의 위치로 묶어놓으려 하는 그 역겨운 태도가 공산이념과 무엇이 다른지 나로서는 도무지 모르겠다.

나는 그 도둑놈의 심보를 경멸한다.

'소비자가 선택한다 → 이윤 증가'

'소비자가 외면한다 → 손실 증가'

이것이 상식이다.

소비자가 많이 선택했다는 건 많은 소비자를 만족시켰다는 것이다. 사익을 추구했지만 공익에도 기여한 것이며, 공익에 기여한 포상이 이윤이다. 오히려 이윤을 창출하지 못한 것이 더 나쁘다. 소비자가 외면하는 재화에 노동과 자본을 꼬라박았다는 것 자체가 사회적 낭비를 초래한 것 아닌가. 이런 사회적 낭비에 대한 벌이 손실이다.

그리고 욕 좀 하자. 아니 그러면 소비자도 '적정하게' 만족시키라는 것인가? 제발 개 풀 뜯어먹는 소리 집어치워라. 이윤은 기업가가 자신의 모든 것을 걸고 배팅하여 소비자의 마음을 얻었을 때 누리는 포상이다.

존중하라.

할렘의 탄생

1980년대 뉴욕시는 주택의 임대료를 올리지 못하도록 상한선을 정하고 법으로 규제했다. 2차 세계 대전에 참전한 퇴역 군인들을 지원하기 위함이 정책의 시작이며, 저소득층과 사회적 약자를 보호한다는 것이 명분이었다. 참으로 마음 따뜻한 정책이다.

그러나 규제에 묶인 쥐꼬리만 한 임대료는 주택을 유지보수하는 비용도 충당하지 못했으며, 당시 미국의 인플레이션까지 겹쳐 화폐가치마저 추락하는 상황이었기에 집주인들은 벼랑 끝에 다다른다. 당연히 집주인들은 집을 수리하지 않았다. 주택의 유지보수를 완전히 포기한 것이다.

전구가 나가도, 계단이 부서져도, 빗물이 새도 내버려 둔다. 당신은 집주인을 인정머리 없다 비난할지 모르겠다. 장난하냐? 당신이라면 월세를 그따위로 받아서 하루하루가 마이너스인데, 사람 좋은 얼굴 하며 수리해주고 싶겠는가? 정말? 그냥 내 집부터 무상 수리해주지 그러냐?

건물 시장의 상황도 다르지 않았다. 월세로는 유지보수비용과 보유세를 충당할 수 없게 되자, 건물주들은 건물을 포기하기 시작했다. 시장에 물건을 던지는 것이다(트럼프가 이때 사서 돈을 쓸어 담았다. 정부와 세금 혜택 딜까지 보면서 밑바닥부터 꼭대기까지 시세차익을 다 먹은 유명한 일화다.).

관리가 안 된 건물들은 흉측한 모습으로 변해간다. 결국 맨해튼 북부지역의 브롱크스와 남동지역의 브루클린 등 수많은 뉴욕의 자치구들이 유령도시로 탈바꿈했다. 대표적으로 슬럼화가 심했던 곳이 맨해튼 북동부지역의 할렘(Harlem)이다. 당신이 아는 그곳 맞다.

흔히 할렘가라 불리는 이곳은 빈민과 범죄의 상징이자, 임대료 규제 부작용의 산물이다. 집주인은 임차인을 마음대로 내보낼 수 없었고, 임차인은 자신의 가족에게 같은 가격의 월세로 임대 아파트를 물려줄 수 있었다.

이 상황에서 당신 같으면 뉴욕에 새 아파트를 짓고 싶겠는가. 돈이 안 벌리는 데 어떤 정신 나간 건설사가 새 아파트를 짓겠는가. 당연히 주택 공급은 급격히 줄어들고, 새롭게 도시에 전입하려는 이들의 수요를 충족할 수 없게 된다.

가난한 이들이 집을 구할 수가 없게 된다는 말이다. 가난한 이들을 보호하겠다는 따뜻한 선의가 가난한 이들을 고통 속에 밀어 넣은 것이다. 결국 혜택을 받는 임차인을 제외하고 아무도 웃지 못했다.

어떻게 보면 해당 임차인들도 황폐하고 조악한 유령도시에 거주하니 면밀히 따지면 혜택이라 볼 수 없다. 의도는 따뜻했으나 결과는 차가웠다. 그러나 이 와중에 확실하게 혜택을 보는 이들이 있었다. 상류층이다.

1990년대 당시 세계적 톱스타인 미아 패로(Mia Farrow)는 센트럴 파크 뷰의 호화로운 아파트에 월세로 살았다. 그녀가 내는 월세는 고작 2천 달러였다. 그 정도면 비싼 것 아니냐 반문할지 모르겠다. 원래 시세는 1만 달러인 것을 고려하면 5분의 1 수준이다.

그래서 이 정신 나간 주택임대료 규제를 미아 패로 법이라 한다. 정부의 선의로 시작했지만, 그 끝은 비극을 초래하는 경우를 두고 말할 때 사용하기도 한다. 한국에도 임대차 3법이라는 미아패로 법이 존재한다. 나는 이것이 통과될 때 눈을 의심했다.

계약갱신청구권을 임차인에게 부여하여 집주인의 의사와 상관없이 임차인이 전세 계약을 2년 연장할 수 있는 특권을 부여했다(2년 + 2년). 집주인이 임차인을 자유롭게 내보내지 못하게 틀어막은 것이다.

또한 계약갱신청구권을 행사할 때 임대료를 5% 이상 증액하지 못하게 법으로 강제했다. 결과는 처참했다. 임대차 3법 통과 이후 마법처럼 전세가가 바로 폭등한다. 당연한 것 아닌가. 2년에 한 번 나오던 전세 물량이 4년에 한 번씩 나오게 되지 않은가.

게다가 한번 계약한 전세금은 4년간 올려 받지 못하기에 전세금을 처음부터 높게 책정할 것 아닌가. 임대차 3법이 통과된 지 3개월 만에 서울 강서구 가양동 일부 단지에서는 전셋집 하나에 9팀이 줄을 서서 집을 보는 등 웃지 못할 상황이 발생한다. 결국 전세가는 최대 2배가 넘는 폭등을 기록했다.

대한민국의 역사를 한 번 뒤져보라. 전세가가 2배씩 오른 적이 있는지. 그 유명한 2006년 참여 정권 부동산 폭등에도 전세가가 이따위로 오르지는 않았다. 전세가는 투기수요가 없는 실수요자들의 시장이기에 폭등하는 데 한계가 있기 때문이다.

당신부터가 전셋집을 투기하지는 않을 것이다. 물론 당시 저금리 상황도 폭등 요소지만, 정책의 문제임은 명백하다. 나는 끝을 모르고 치솟는 전세가를 보면서 형용할 수 없는 공포를 느꼈다. 서울 전셋값은 임대차 3법 5개월간 직전 5년 치만큼 폭등했다.

나는 그래서 임대차 3법을 찬성한 국회의원들을 경멸하며 특히, 법이 시행되기 직전에 일부러 전세금을 올려받은 자들은 사람 취급도 하지 않는다(한 국회의원은 50% 가까이 올려받았다.). 전세금을 올려받은 것을 욕하는 것이 아니다. 자유 시장에서 개인의 이익 추구는 존중받아야 한다.

내가 역겹게 보는 것은 전세금을 올리는 자들을 적폐 취급하여 임대차 3법을 도입했으면, 그리고 본인도 전세금을 올려받을 것이라면, 임차인을 위한다는 위선의 탈을 쓰고 임대료를 못 올리게 틀어막는 정신 나간 법에 찬성하지는 말아야 할 것 아닌가. 정말 골때린다.

주택임대료 규제가 주택의 수량과 품질을 저하시킨다는 것은 93% 이상의 경제학자가 동의하는 대명제다. 내가 글을 쓰고 있는 이 시점에도 한국에 미아 패로법이 존재한다는 사실에 씁

쓸함을 느낀다.

스웨덴 경제학자인 아사르 린드베크(Assar Lindbeck)는 도시를 파괴하는 가장 확실한 방법은 폭격이며 그다음이 임대료 규제라 하였다.

창조적 파괴

인력거 끄는 이들의 생존권을 파괴한다고 자동차가 탄생하면 안 되는가? 유선 전화기의 생존권을 파괴한다고 스마트폰이 탄생하면 안 되는가? 허름한 모텔의 생존권을 파괴한다고 고급 호텔은 존재하면 안 되는가? 마트 캐셔의 생존권을 파괴한다고 키오스크가 존재하면 안 되는가?

한 기업이 끝내주는 신제품을 개발하면 기존의 재화나 서비스가 도태되고 소멸하는 것은 문명이 자라나며 필연적으로 발생하는 현상이다.

20세기의 대표적인 경제학자 조셉 슘페터(Joseph Schumpeter)

의 말이다.

"새로운 재화의 창조는 기존 상품의 파괴를 가져온다."

그는 《경제발전론》에서 이윤은 혁신에서 발생하며 혁신은 파괴에서 온다는 개념인 창조적 파괴가 기업 경제의 원동력이라 주장하였다.

창조보다 파괴에 초점을 맞춰 기업들의 혁신을 틀어막으면 수많은 소비자의 삶의 질이 밑바닥으로 처박히게 된다. 이를 경제적 후생이 감소한다고 하며, 국가 경제의 경쟁력도 급격하게 감소한다. 창조적 파괴는 거스를 수 없는 자유 시장의 생리다.

자유 시장에는 빛과 어둠이 있다. 누군가 파괴될 수밖에 없는 어두운 면과 그 파괴로 인해 다른 이들의 삶이 바뀌는 눈부신 면이 존재한다. 자유 시장에서 필연적으로 발생하는 누군가의 도태와 몰락에 호소하며 자유 시장의 순기능과 본질을 부정하지 말라.

생존권 죽어라고 부르짖는 경쟁력 없는 놈들 챙겨줄 필요 없다는 말이다. 하다못해 당신도 스스로를 죽여야 거듭나는 존재 아닌가.

파괴하고 죽여라.

그러면 존경을 받을 것이다.

곡물 투기꾼

150년 전 유럽은 곡물 유통 상인을 적폐로 규정했다. 본인들이 먹을 것도 아님에도 밀을 많이 구매하여 마진을 붙여 팔았기에 밀 가격이 올랐다는 것이다. 그들 때문에 최종 소비자인 시민들이 피해를 받는다고 믿었다.

당시 상황을 현재 시대상에 반영하면 다주택자들은 본인이 거주할 것도 아님에도 여러 채를 쓸어 담아 집값을 올리는 개새끼들이라는 비난과 일치한다. 그래서 당시 유럽에 속한 국가들은 오직 농부만이 유통 상인을 할 수 있도록 규제했다.

중간 마진을 없애고 최종 소비자가 곡물을 싸게 사도록 만들자는 의도였다. 그러나 곡물 가격은 폭등하기 시작한다. 어째서인가. 물건 종류가 오직 하나뿐인 가게는 망하기에 곡물 장사가 되려면 구색을 갖춰야 했다.

당연히 농부들은 자기 재산의 상당 부분을 자신이 생산하지도 않는 다른 곡물을 사는데 지출했고, 유통업의 특성상 다른 부대 비용도 들어갔으며, 결국 자신의 전 재산을 곡물 생산에 투자했을 때보다 곡물 생산량이 줄어들었다. 자본을 얼마나 투자하느냐가 생산량에 직접적인 영향을 준다는 걸 간과한 것이다.

끝이 아니다. 기존에는 농부들이 농사만 잘 지으면 그만이었으나 이젠 곡물 유통까지 해야 하니 시간과 에너지가 분산되어 생산성도 박살 나기 시작했다. 인간이 한 가지에 시간과 에너지를 집중하면 생산적일 수밖에 없다는 것을 간과한 결과다.

애덤 스미스는 곡물 중간 상인이 자신의 이익을 위해 일하지만, 결과적으로 국가 전체 곡물 생산량을 늘려 곡물 가격의 안정에 기여한다고 하였다. 자유 시장의 본질을 꿰뚫는 말이다. 게다가 흉년일 때나 곡물 가격이 폭등하여 돈을 벌 수 있는 사업구조이며 그마저도 시민들에게 욕을 바가지로 처먹으며 돈을 번다 하였다.

1997년과 2008년에 수많은 다주택자가 집값 폭락으로 망했지만, 그들은 그 누구의 동정도 받지 못했다. 어차피 돈 벌려고 투기한 놈들이니 고놈 참 잘 죽었다는 인식만 있었을 뿐이다. 그러나 살아남은 다주택자들의 집값이 다시 폭등하고, 그들의 인생이 역전하니 온 국민은 미친 듯이 그들을 힐난하기 시작한다. 코미디가 따로 없다.

당신이 그들과 같은 부류라면 정신 좀 차려라. 언제까지 그 모양 그 꼴로 한심하게 살 것인가. 결국 다수의 요구가 권력이 되는 민주사회의 특성상 부동산 세법은 다주택자에게 불리하도록 개편되었으며, 시장 개입에 의한 부작용이 가속화되어 집값은 2배에서 3배가 올랐다.

다주택자들은 건설 시장에 많은 자본을 유치한다. 미분양 터진 아파트를 그들이 싹 다 쓸어가는 것만 봐도 알 수 있다(1주택자들이 쓸어간다고? 진짜? 그런데 왜 1주택자냐? 개 풀 뜯어먹는 소리 좀 그만해라.). 파산 직전까지 간 건설사들에게 산소호흡기를 달아 기적같이 살려내는 것이 다주택자다.

자본이라는 생명을 불어넣은 것이다. 그렇게 살아남은 건설사들이 주택을 안정적으로 공급하기에 수급 균형이 맞춰지고 주택가격은 안정을 찾는다. 실례로, 다주택자를 양성했던 이명박, 박근혜 정부는 8년 가까이 주택 가격을 안정시켰다.

1주택자들은 제공할 수 없는 전세 매물을 다주택자들이 마구 쏟아내니 한동안 전세가도 안정되었다. 물론, 이명박 정권이 세종시 개발을 통해 많은 인구를 내려보낸 것도 서울 주택 가격 안정에 영향을 주었다.

다주택자라는 가상의 적을 만들어 허상의 허수아비를 두들겨 패고, 소수와 다수를 갈라쳐 그 분노의 에너지를 빨아 먹으며 표를 챙기는 이들이 역겹다.

역겨워서 토악질이 나온다.

토지 국유화

당신에게 땅이 하나 있다. 당신은 어떻게 해야 이 땅으로 최대한 돈을 뽑아 먹을지 고민할 것이다. 주차장 요금을 받을지, 주택을 지어 월세를 받을지, 상가를 지어서 장사를 할지 등, 분명 밤새워 고민하여 최선의 판단을 내릴 것이다. 내 것이기 때문이다.

내 것이 아니면 알게 뭔가. 건물 하나를 짓더라도 트렌디한 디자인으로, 용적률의 최대한도에서 높게 지을 것이며, 견고하고 저렴하게 짓는 시공법을 고민할 것이다. 장사를 하더라도 이곳에선 무엇을 팔아야 돈을 쓸어 담을지 밤새워 고민할 것이다.

땅을 국가가 소유하고, 국가가 관리하고, 국가가 개발한다면, 당신보다 효율적으로 땅을 쓰는 것은 불가능하다.

새겨들어라.

정부는 절대 시장을 이기지 못한다.

정부는 절대 당신을 이기지 못한다.

이는 절대 명제다.

임대 아파트가 시그니엘보다 살기 좋은가? 공기업이 대기업보다 돈을 잘 버는가? 인간은 자기 것 아니면 관심 없다. 국가가 땅을 개발해야 할 동기가 어디 있는가. 그딴 거 없다. 개발했다가 망했을 때 무슨 책임을 지는가. 아무도 책임 안 진다.

땅을 효과적으로 굴린다는 건, 그 땅을 어떻게 써먹어야 최대 이익을 빨아 먹을지 고뇌하는 당신의 탐욕에 달린 것이다. 공공기관들이 분석한 온갖 쓰잘데기 없는 형식적 분석 자료 따위는 쓰레기통에 처박아도 무방하다. 땅은 주인이 있을 때 가장 효율적으로 운영된다.s나는 그래서 토지 국유화를 옹호하는 놈들을 더럽게 한심하게 여긴다. 이는 대한민국을 부정하는 짓이며, 그런 정신 나간 반대한민국 세력은 윗동네로 확 걷어차 버려야 한다 믿는다.

땅을 국유화한 국가들이 어떤 꼬락서니로 사는지 생각해보라.

비싸면 안 산다

당신에게 내가 만든 텀블러를 300만 원에 팔겠다. 살 것인가? 미치지 않고서야 안 산다. 시장 참여자는 비싸면 안 산다. 마찬가지로 건설사가 아파트 가격을 비싸게 책정하여 팔아먹는 행위가 집값을 올리는 원인이 아니다. 비싸면 안 산다.

시장경제에서 재화의 가격은 공급자 혼자 결정하는 것이 아니다. 두 건설사가 신축 아파트를 팔았는데 래미안의 청약 경쟁률은 10:1, 포레나의 청약 경쟁률은 100:1이다. 어느 아파트가 제값을 못 받고 팔아먹은 것인가? 포레나다.

경쟁률이 높다는 건 가격을 더 높게 불렀어도 팔렸을 거란 말이다. 그리고 당신이 건설사 대표라면 앞으로 아파트를 더 지을 것이다. 경쟁률만 봐도 노다지가 확실한데 짓지 않을 이유가 없다. 그렇게 신축 아파트가 도시 곳곳에 공급된다.

새로 지을 아파트는 싸게 팔 것인가? 당연히 더 비싸게 판다. 호구 등신이 아닌 이상 100:1로 잘못 팔아먹은 경험이 있기 때문이다. 그렇게 욕심을 왕창 부려 아파트를 지을 때마다 가격을 계속 올려 팔아먹다 보면 경쟁률은 50:1, 20:1, 10:1, 2:1 점점 줄어들 것이다.

게다가 수많은 아파트를 지어왔으니, 그만큼 아파트의 희소성이 떨어졌을 것이다. 그러다 어느 순간 아파트가 안 팔린다. 시장 참여자들이 비싸다 느끼기 때문이다. 적당히 해 먹었어야 했는데 욕심부리다 미분양도 터지는 것이다. 건설사는 자기 자본으로 짓는 경우가 거의 없기에 미분양 터지면 대개 도산해버린다.

내가 2억 2천에 전세를 준 아파트가 있는데, 갑자기 전세금을 10억 정도 받고 싶다. 그래서 10억에 내놓는다. 나갈 것 같은가? 정신 나갔다는 소리나 안 들으면 다행이다. 초등학생도 이해할 만한 내용이다.

이는 경제 지식이고, 나발이고 누구나 이해할 수 있는 상식인데, 이 간단한 시장원리를 부정하는 놈들이 많다. 건설사가 분양가를 높게 책정하니 집값 상승의 주범이라는 닭대가리 같은 사고를 아직도 하고 있다면, 그냥 접싯물에 코 박고 뒈져버려라.

플로리다의 악마

2004년 여름, 미국 플로리다 서해안에 허리케인 찰리가 들이닥쳤다. 역대 허리케인 중 손에 꼽히는 파멸적인 폭풍이었다. 도시는 완전히 박살 나고, 주택을 포함한 대부분의 생활시설이 허리케인에 휩쓸려 갈기갈기 찢겨 나갔다.

심지어 전기발전소까지 날아가 버려 전력 부족난은 심각해졌고, 주민들은 에어컨과 냉장고를 사용하지 못하는 잔인한 현실에 놓였다. 당시 플로리다의 여름은 살인적으로 더웠는데, 어느 주유소는 평소 2달러인 얼음주머니를 10달러에 팔았다. 다섯 배를 올려 쳐 판 것이다.

그러나 잘 팔렸다. 얼음뿐만 아니라 전기톱 전문가와 지붕 수리업자의 수요도 급격히 증가한다. 건설업자들은 고작 나무 두 그루를 치우는데 2만 3천 달러를 내놓으라고 했을 정도다. 이는 한화로 거의 3천만 원이다. 당시 화폐가치까지 고려하면 살인적인 금액이며 수요가 있었다는 사실이 놀라울 정도다.

그만큼 절망적이고 냉혹한 상황이었다. 뿐만 아니다. 마트에서 평소 250달러에 팔던 발전기도 2천 달러에 팔기 시작한다. 이것 역시 잘 팔려나갔다. 한 노인은 허리케인을 피하려고 모텔에 급히 들어갔는데, 모텔 주인은 하루 방값으로 160달러를 불렀다. 그 방의 원래 요금은 40달러였음을 고려하면 살인적이다. 하지만 거래된다.

잔인한 상황이 계속되자 플로리다 주민들은 분노를 터뜨렸다. 신문사들도 주민들의 편을 들어준다. '폭풍 뒤에 찾아온 약탈자'라는 제목의 기사가 실린 것만 봐도 알 수 있다. 가격을 높게 책정한 각 재화의 공급자들을 남의 고통과 불행을 이용하여 이익을 챙기는 개자식들이라고 묘사한 것이다.

플로리다주에는 가격 폭리처벌법이 있었는데, 당시 법무부 장관 사무실에 2천 건이 넘는 피해사례가 접수된다. 그 결과 어떤 숙박업소는 벌금 7만 달러를 내기도 했다.

그러나 모텔 주인과 건설업자는 개자식들이 아니다. 애초에 시장이 수요자와 공급자의 이해관계를 통해 가격을 결정하는 것은 자연스러운 일이기 때문이다. 엄밀히 말하면 시장에는 공정가격이라는 게 존재하지 않는데, 무슨 자격으로 그들을 비난하는 것인가.

폭리가 무슨 뜻인가. 지나치게 많이 남기는 부당한 이익이다. 나는 공급이 부족하고 수요가 많은 상황에서 가격을 높게 책정한 것이 어째서 부당한 일인지 도무지 모르겠으며, 나라도 최대한 높게 책정할 것이다.

입장 바꿔 생각해보라. 당신이 건설업자고, 평소 나무 한 그루를 치워주면 2백 달러 받는다. 그런데 누군가 2천 달러를 줄 테니 본인의 나무를 먼저 치워달라고 애원한다. 당신이라면 2천 달러를 뿌리친 채 정의 타령하며 2백 달러 받고 나무를 치울 것인가? 진짜?

웃기지도 않은 개소리 하지 마라. 아예 그냥 내 집에서 자원봉사라도 하지 그러냐? 당신부터가 탐욕에서 벗어나 자유롭지 않은데, 모텔 주인이나 건설업자가 폭리를 취한다며 비난하는 걸 보면 욕이 저절로 나온다.

자유 시장의 메커니즘을 정확히 이해한 미국의 경제학자 토

머스 소웰(Thomas Sowel)의 말이다.

“사람들은 어떤 재화의 가격이 평소보다 현저하게 높을 때 가격 폭리라고 인식한다. 하지만 기존 가격은 그렇게 대단한 것도 아니고, 도덕적으로 신성한 것이 아니다.”

쉽게 말해 경제학 관점에서 볼 때 폭리라는 단어 자체가 개소리라는 말이다. 자유 시장에서 비싼 값을 책정하는 것은 조금도 부당하지 않다. 그는 공정을 부르짖는 가식이 정부를 확장하려는 정치인들에게 가치 있는 자산임을 말하였다.

그리고 새겨들어라. 오히려 비싼 값을 책정하게 해야 박살난 플로리다가 더 빨리 복구된다. 플로리다주에서 나무 치우면 노다지라는 소문이 다른 주에도 널리 알려지게 될 것이고, 그러면 너도나도 플로리다로 출장 가려고 발광하게 된다.

심지어 원래 나무 치우는 기술이 없던 사람도 이 기술로 떼돈을 벌 수 있다는 걸 알게 되면 급하게라도 기술을 배운다. 결국 기술자들의 수는 점점 늘어날 것이고, 그들끼리 경쟁이 붙게 되니, 결국 나무를 치우는 가격은 떨어질 것이다. 이것이 바로 시장의 아름다움이다.

시장은 자연과도 같기에 자생적인 능력이 있다. 장사꾼을 악마로 만든다고 해서 플로리다의 복구 속도가 빨라지지 않는다. 차라리 장사하도록 내버려 두는 것이 훨씬 낫다. 아무리 비싼 가격이라도 자신의 집부터 고쳐주길 애원하는 이들이 분명 있는데, 구매자도 원하고 판매자도 원하는 거래를 정부에서 틀어막는다는 것 자체가 자유 시장의 회복력을 믿지 않는 것이며, 개인의 자유를 해치는 짓이다.

이익 추구는 경제의 혈액이다. 이 혈액은 얼음보다 차가운 속성을 품고 있다.

새겨들어라.

장사꾼을 악마로 만들어 얻는 이득 같은 건 없다.

계획경제의 종말

빌라와 오피스텔 중 갑자기 오피스텔 가격만 폭등한다. 이것은 대중들이 빌라보다 오피스텔을 원하니, 빌라 짓지 말고 오피스텔 지어야 돈이 된다는 정보를 시장이 친절하게 당신 귓구멍에 때려 박아 알려주는 것이다. 당연히 주택 공급자의 포지션에 있는 이들은 오피스텔이 노다지라 생각하며 죽어라고 오피스텔을 공급한다.

오피스텔이 많이 지어지니 오피스텔 가격은 조정을 받게 된다. 시장에서 가격이란 개념이 중요한 이유다. 공급자들이 각자의 이익을 위해 수요자에게 필요한 재화를, 필요한 만큼, 필요한 때에 효과적으로 공급하게 하기 때문이며, 덕분에 시장경제에서는 소비자들이 양질의 제품을 저렴하게 누릴 수 있다.

하지만 사회주의 계획경제에서는 나라가 빌라를 나눠주고, 오피스텔도 나눠주기에 가격이라는 것이 투명하게 책정되기 힘들다. 또한 무엇이 필요하고, 얼마나 부족한지 정확한 수치로 알 수가 없다.

결국 필요한 물건을, 필요한 때에, 필요한 만큼 공급하는 게 불가능에 가깝다. 그래서 부동산은 물론 음식, 옷, 전자제품 등 모든 재화의 질이 한없이 밑바닥으로 꼬라박게 되고, 그 피해는 고스란히 당신들이 받게 된다. 당신들 삶의 질도 꼬라박는다는 것이다.

하이에크(Friedrich Hayek)와 미제스(Ludwig von Mises)는 모든 계획경제 체제를 배척해야 함을 주장했는데, 특히 미제스는 사회주의 계획경제는 망할 수밖에 없다고 단언했다. 실제 미제스의 예언대로 사회주의 계획경제 국가들은 거의 다 망했으며, 그나마 살아남은 국가들도 시장경제체제 하에 성장한 나라들과 비교할 수 없는 차이를 보인다.

가격의 소중함을 알라. 그 가격이 시장 참여자들에 의해 결정되는 시장경제에 감사하라.

비싸다는 개념은 없다

비비큐 치킨이 가격을 올릴 때마다 공급자와 소비자의 정당한 거래에 욕을 하며 훈수 두는 놈들이 많이 보인다. 한심해서 욕도 안 나온다. 비비큐의 경쟁업체가 없는 것도 아니고, 소비자가 그 가격을 지급할 의사가 있으니 꾸준히 거래까지 되고 있는데, 당신이 느끼기에 비싸면 치킨 가격이 내려가야 하는가? 당신이 뭔데? 뭐라도 되는가?

그러면 포르쉐도 당신이 느끼기에 비싸면 한 2천만 원에 팔아야 하는가? 당신 어디 아픈가? 시장경제에서 싸다, 비싸다는 건 상대적인 개념이다. 30억짜리 강남 아파트는 비싼 것인가?

당신에게는 비쌀 수 있다. 그러나 이재용 회장에게도 비쌀까? 3천만 원짜리 인천의 허름한 빌라는 싼 것인가? 당신에게는 쌀 수 있다. 그러나 노숙자에게도 쌀까?

세상은 이렇게나 상대적인데 당신의 잣대를 시장에 들이밀고 떼쓰지 마라. 치킨 가격이 불만이면 처먹지 마라. 나는 밑바닥에서 기어다닐 때도 치킨 가격에 불만이 없었는데, 당신들은 뭐가 그렇게 아니꼬운가? 그리고 언제부터 치킨이 필수품이었는가? 언제부터 치킨이 서민 음식이었는가? 언제부터 치킨을 3만 원 밑으로 처먹는 게 당신들 권리였는가?

애새끼도 아니고 그만 좀 징징대라. 비비큐가 아무리 비싸게 팔아먹는다 한들 당신들이 안 사 먹으면 가격 내린다. 시장가의 개념부터 똑바로 알아라. 그리고 도대체 왜 처먹으면서 비싸다고 하는 거냐? 당신은 수치라는 게 없는가?

독점과 독점 행위

미국 최초의 억만장자였던 존 데이비슨 록펠러(John D. Rockefeller)는 석유왕이라 불린다. 1859년, 펜실베이니아의 타이터스빌에서 에드윈 드레이크가 유전을 발견했을 때, 록펠러는 정유 사업이 부를 가져다줄 것임을 확신했다. 클리블랜드에 있는 작은 정유회사를 산 것이 록펠러 일대기의 시작이다.

록펠러는 경쟁사를 망하게 하거나 사들이는 게 취미였다. 그러나 그 방식은 그리 아름답지는 않았다.

록펠러: 당신 회사 내가 사고 싶은데 넘겨라.

경쟁사: 싫다.

록펠러: 두고 보자.

그는 갤런(Gallon)당 가격을 후려쳐서 경쟁사를 말려 죽였다(갤런은 액체의 부피 단위로, 1갤런은 대략 3.8리터다.). 당시 클리블랜드에는 약 26개의 석유회사가 있었는데, 록펠러는 단 6주 만에 22개의 석유회사를 인수했다. 어마어마한 속도로 시장을 장악한 것이다.

록펠러의 사업 확장은 멈출 줄 몰랐다. 그는 철도 산업과 결탁하여 석유 수송망까지 완전히 장악했으며, 덕분에 1880년에는 미국 전 지역에서 유통되는 석유 중 95%가 록펠러의 수송망일 정도였다. 업계를 통째로 먹어버린 것이다.

록펠러는 본격적으로 돈을 쓸어 담기 시작한다. 2년 뒤인 1882년, 계열사를 전부 통합시켰고 그렇게 탄생한 기업이 스탠더드 오일 트러스트(Standard Oil Trust)다. 록펠러는 미국 전체 석유 시장의 90%를 거머쥔다.

마이크로소프트처럼 소프트웨어가 주력인 사업도 아니고, 실물을 다루는 사업이 이 정도의 점유율을 가진다는 것은 불가능에 가까우며, 시장을 완전히 장악한 것이나 다름없다.

록펠러는 자신의 시장 지배력을 믿고, 갤런당 30센트 하던 석유 가격을 6센트로 내려버린다. 남은 기업들을 죽이기 위함이다. 잔인하게도 수많은 중소업체가 도산한다. 이를 계기로 스탠더드 오일에 대한 여론이 부정적으로 돌아서기 시작한다.

결국 당시 미국 상원의원을 지냈던 존 셔먼(John Sherman)이 그 유명한 셔먼 반트러스트법을 1890년에 제정하며(해당 의원의 이름을 딴 것) 독점 기업을 견제하기 위해 8개의 규정을 박아버린다. 스탠더드 오일은 오하이오주 재판소에서도 셔먼법 위반 판결을 받고 강제 해산하게 된다.

후에 법적으로 유리한 지역인 뉴저지로 법인 주소를 지정하여 도망갔고, 뉴저지를 중심으로 지주회사 형태로 미국 전역의 계열사를 지배한다(지주회사는 다른 회사의 주식을 소유해서 경영을 지배하는 회사다. 참고로 워런 버핏이 이끄는 버크셔 해서웨이도 지주회사다.). 그러나 당시 루스벨트가 이끌던 미국 정부는 반독점국을 창설하여 또다시 스탠더드 오일을 압박한다.

마침내 1911년, 미국 대법원은 스탠더드 오일에 독점 판결을 때리고, 스탠더드 오일은 34개 회사로 강제 분할 당한다. 그 후 뉴저지에 있던 스탠더드 오일의 회사명은 엑손이 되고, 뉴욕에 있던 스탠더드 오일의 회사명은 모빌이 되었다. 그리고 1998년에 엑손이 모빌을 인수해서 지금의 엑손 모빌(Exxon Mobil)이 탄생했다. 엑손 모빌은 스탠더드 오일의 후손인 셈이다.

스탠더드 오일의 영향력은 형용하기 힘들 정도다. 쉐브론(Chevron)도 캘리포니아에 있던 스탠더드 오일이 회사명을 바꾼 것이다.

독점 기업이 지나치게 공격적으로 다른 회사를 죽이고 시장을 장악하면, 소비자의 효용을 감소시킬 수 있으므로 상황에 따라 정부가 개입하여 독점 행위를 견제할 필요가 있다. 하지만 나쁜 것은 '독점 행위'이지 '독점' 자체가 나쁜 것은 아니다. 독점이라는 것은 수많은 소비자를 만족시킨 결과이기도 하니 말이다.

한 기업이 독점을 향해 달려가는 과정에서 수많은 소비자의 효용이 증가하기도 한다. 독점을 향해 달려가는 카카오의 수많은 무료 서비스가 대표적인 예다. 당신은 돈 한 푼 없이 그 양질의 서비스를 이용하지 않는가.

독점은 빛과 어둠을 지닌다. 독점의 단면만 보지 말라. '독점 행위' 없이 '독점'을 추구하는 기업들도 많다. 둘을 구분하라.

세금과 집값의 관계

당신이 에어팟을 10만 원에 팔고 있다. 그런데 갑자기 정부가 당신의 에어팟에 세금 50만 원을 부과한다. 그러면 60만 원이다. 팔릴 것 같은가? 안 팔린다. 써도 그만, 안 써도 그만이기 때문이며, 그냥 다른 무선이어폰 쓰면 된다. 좋은 거 널렸다.

에어팟의 공급이 아무리 부족해도 대체재가 있기에 가격 상승에 한계가 있다. 즉 필수재가 아니면 수요와 공급에 큰 영향을 받지 않는다.

그런데 당신이 먹는 모든 음식에 10만 원의 세금을 부과하겠다. 안 먹을 수 있겠는가? 먹어야 한다. 세금을 부과해도 반드시 먹어야 한다. 음식을 대체할 수 있는 건 없다. 이때 가격을 떨어트리는 유일한 방법은 세상에 음식이 차고 넘치게 하는 것뿐이다.

그래서 필수재는 수요와 공급이 가격에 막대한 영향을 끼친다. 물론 아무리 공급이 넘쳐도 음식에 물린 세금보다 음식값이 떨어질 수는 없다.

마지막 질문이다. 집은 필수재인가? 필수재다. 집값 오른다고 길바닥에서 자지 않는다. 부동산은 강제 참여 시장이다. 매매든, 전세든, 월세든 반드시 선택하여 거주해야 한다.

그런데 지난 5년간 취득세를 올렸으며, 양도세도 올렸다. 그리고 보유세마저 올렸다. 결과는 말할 것도 없다. 역사에 남을 폭등이 5년간 이어졌다. 농담이 아니라 앞으로 100년 후에 교과서에 남지 않을 듯싶다.

집에 부과하는 세금을 올리면 집값이 오른다는 사실은 경제학자들이 동의하는 절대 진리다. 집은 필수재니까.

인간은 이성적이지 않다. 논문 같은 것들을 들이댈 필요 없이 저명한 사실임을 알 것이다. 집 가진 놈들 밉다고 세금으로 뺏어달라고 떽떽거리는 순간, 그 피해는 고스란히 당신들에게 돌아간다.

있는 놈들이 정부에 많은 세금을 뜯긴다면 지금 당장 당신에게 작은 위안은 되겠지만, 그래서 지금 당신들 손에 도대체 무엇이 남았는가. 살림살이는 좀 나아졌는가? 아파트가 끝내주게 저렴한가? 사는 게 행복한가?

지난 정권, 내 집 마련의 꿈은 멀어졌다. 당신들이 집주인들 패 죽이자는 것에 환호했었다면, 스스로 무덤을 팠던 것이다.

새겨들어라.

세금 올리면 집값 오른다.

로베스피에르의 우유

1790년대의 프랑스는 생필품 가격이 비쌌다. 특히 우윳값이 비쌌다. 당연히 당시 프랑스 국민들은 불만이 가득했고, 이걸 알아챈 로베스피에르(Robespierre)라는 정치인은 자신의 지지 기반을 다지기 위해 우윳값을 강제로 반토막 내서 최고가를 정했으며, 최고가보다 비싸게 파는 이들은 단두대에서 목을 자르겠다 선언한다.

문제는 정부가 정한 최고가로 우유를 팔아서는 젖소의 건초값도 충당하지 못했다. 당신이라면 목이 날아갈 리스크까지 지며 돈도 못 버는데 우유를 생산하겠는가? 정신이 나가지 않고

서야 그럴 이유가 없다.

그래서 목장 주인들은 너도나도 젖소를 노살하여 고기로 팔아버린다. 젖소 수가 급격하게 감소하니 우유 생산량도 밑바닥을 기게 된다. 결국 우윳값은 미친 듯 폭등한다. 여기서 멈췄어야 했으나 로베스피에르는 건초값을 낮추면 되지 않냐며 건초값을 반토막 내어 최고가를 정한다.

결과는 말할 것도 없다. 공급자들은 건초 생산을 싹 다 집어치웠고, 건초값도 미친 듯 폭등하여 무려 4배가 올랐다. 설상가상으로 우윳값은 10배 폭등했다. 결국 우유는 상류층이 아니면 아기들에게도 먹이지 못했다.

후에 로베스피에르는 그동안 자행했던 공포정치가 뇌관이 되어 테르미도르 반동으로 실각하여 단두대의 이슬로 사라진다. 그가 속했던 당인 자코뱅은 시장원리를 무시한 정책으로 민심을 완전히 잃은 상태였고, 지지 세력인 파리시민들은 로베스피에르와 자코뱅을 버렸다.

로베스피에르 자신이 그렇게 좋아하던 단두대에 끌려간 것이 아이러니하다(참고로 로베스피에르는 프랑스 대혁명을 주도한 정치인으로, 루이 16세와 마리 앙투아네트를 단두대로 보냈다.).

가격 통제는 시장을 파괴하는 가장 효과적인 방법이다. 이 간단한 사실을 모른척하는 역겨운 놈들 덕에 한국에서도 비슷한 일이 일어났다. 건설사가 분양가를 높게 책정하기 때문에 집값이 오르는 것이라는 헛소리를 해대면서 아파트의 최고가를 법으로 강제했던 것이다.

공급자인 건설사를 찍어 누르면 당연히 주택 공급은 위축될 수밖에 없다. 자연스럽게 서울의 신축 아파트 공급은 줄어들게 된다. 공급이 줄어드니 아파트 가격은 폭등한다(욕 좀 하자. 자코뱅은 좌파의 시초라고 불리는 당이다. 문자 그대로 '시초'로 회귀하는 것이나 다름없는 짓에 열광하는 당신들 대가리는 장식인가?).

당신에게 월급 안 주면 회사에 나가지 않는 것과 같은 맥락이라는 걸 말을 해줘야 알아먹는다는 것에 환멸을 느낀다. 내가 지독히도 한심하게 보는 것은 2006년 참여 정권 시절 이미 건설사를 찍어 눌러(분양가 상한제), 다주택자를 찍어 눌러(취득세 중과, 양도세 중과, 종합부동산세 등) 공포스러울 정도로 주택 가격이 폭등하는 것을 모든 국민이 두 눈으로 지켜봤는데도 불구하고, 그 잘못된 정책을 그대로 가져왔다는 것이다(몰랐을 거라고? 진짜?).

시행착오를 겪었음에도 느끼는 게 없다면 나가 죽어라. 그런 쓰레기 같은 정책을 다시 가져온 정치인들도 문제지만, 이미 한 번 크게 데이고도 정신 못 차리며 공급자 탄압 정책을 지지하는 국민들도 지독히 한심하게 생각한다(보통 뒤지게 처맞으면 정신을 차리기 마련인데 말이다.).

집 가진 놈들 아무리 밉다 한들, 그들을 탄압하면 집이 없는 자신들에게 화살이 날아온다는 사실을 모르는 그 무지에 나는 경멸을 느낀다.

부동산 시장은 규제로 잡을 수 있는 것이 아니다. 5년간 30번이 넘는 규제를 때려 박았음에도 부동산 시장을 못 잡은 걸 보면 느끼는 게 없는가? 200년도 훨씬 전에 이미 실패한 공산 이념 가득한 경제정책에 환호하는 것을 보면 마치 동물원의 원숭이 떼를 보는 것 같다.

인간 본성에 대한 이해 없이 시장을 건들면 생지옥이 펼쳐진다. 지옥으로 가는 길은 선의로 포장되어 있다는 말은 허상이 아니다. 로베스피에르의 검소함과 청렴함은 반대파들도 인정할 정도로 무결했다는 것을 기억하라.

현 대한민국에도 로베스피에르 같은 존재가 있다는 사실이 씁쓸하다.

"나쁜 시장이 착한 정부보다 낫다."

_밀턴 프리드먼

다주택자의 시장 역할

집이 없으면 착한 놈, 집이 한 채면 보통 놈, 집이 두 채면 나쁜 놈, 집이 세 채면 미친놈. 딱 봐도 뭔가 이상하지 않은가? 그러나 대한민국에는 이런 궤변을 늘어놓는 놈들과 이에 휘둘리는 닭대가리들도 너무나 많아 셀 수 없을 정도다.

먹방 유튜버들이 음식 많이 산다고 욕하지 않는다. 패션 유튜버들도 옷 많이 산다고 욕하지 않는다. 테크 유튜버들이 아이폰 많이 산다고, 북튜버들이 책 많이 산다고 욕하지 않는다.

마찬가지로 집을 많이 산다고 하여 나쁜 놈이 아니다. 집은 한정된 재화이기에 돈 있는 놈들이 독식해서 사고팔면 안 된다고 할지 모르겠다. 아니, 그러면 집을 돈 있는 놈들이, 돈을 주고 거래하지 말고 배급해야 한단 말인가? 당신 제정신인가?

집을 배급하게 되면, 결국 특정 권력자의 눈에 드는 순서대로 집이 돌아갈 게 뻔하며, 그게 당신일 확률은 당신이 당장 벼락 맞아 죽을 확률보다 낮다.

세상의 모든 집은 상대적 가치를 지니며, 당연히 좋은 집은 그 수가 제한되어 있다. 당신에게 강남의 집이 배급될 것 같은가? 개꿈 꾸고 자빠졌네. 강남까지 갈 것도 없다. 서울의 집이 배급될 것 같은가? 꿈 깨라. 경기권의 집이 배급될 것 같은가? 경기권이 뭐냐. 지방 빌라만 배급받아도 천운이다.

당신 그들에게 뭐라도 되는가? 그들이 당신에게 좋은 집을 줘야 할 이유가 무엇인가? 당신 머리는 장신인가? 배급 주체인 권력자에게 더 많은 뇌물을 갖다 바치는 이들이 좋은 집을 얻게 될 확률이 높다. 안 그래도 희박한 당신의 강남 아파트 입성 확률이 반의 반토막 난다.

돈 있는 놈들이 집을 많이 사는 행위는 매우 자연스럽고 문제 될 것이 전혀 없다. 그러나 대한민국 국민들 사이에서는 집을 여러 채 가진 이들을 미워하는 정신 나간 풍토가 뿌리 깊게 자리잡혔다.

시장에 다주택자들이 필요한 이유는 5가지다.

첫째, 다주택자는 전세/월세를 제공한다.

당신 집이 한 채밖에 없다. 어차피 당신 살 곳은 필요하기에 당신은 거기에 살아야 한다. 길바닥에서 잘 것인가? 세상 모든 이들이 전부 1주택자면 전/월세는 존재할 수 없다. 내가 3년 전, 아무것도 없이 서울에 올라와 지금까지 돈을 모을 수 있었던 건 다주택자들이 제공하는 저렴한 월세, 전세 덕분이었다.

둘째, 다주택자는 건설사 파산을 막는다.

현대건설에서 힐스테이트를 새로 지었다. 그래서 아파트 팔아먹으려고 분양 광고를 냈다. 그러나 하필 집값 하락기에 접어들어 사람들이 청약을 별로 하지 않았다. 결국 절반도 팔리지 않았고, 쫄딱 망할 일만 남았다. 이때 영웅처럼 등장하는 이들이 다주택자이며, 무주택자나 1주택자는 시세 하락이 두려워 분양받지 않을 때, 다주택자들은 이것마저 돈 벌 기회라고 생각하며 배팅하는 이들이다.

물론 이 과정에서 망하는 놈들이 나오고, 대박을 터뜨리는 놈도 있을 것이다. 그러나 그것과 별개로 다주택자 덕분에 건설사는 파산을 모면하고 활발하게 신축 아파트를 공급할 수 있는 생명 연장 호흡기를 달았다. 당연히 인구수는 그대로인데 신축 아파트가 많아지면 과도한 집값 상승을 방지할 수 있다.

셋째, 다주택자는 1주택자에 비해 시세보다 싸게 집을 던진다.

집값이 급격히 상승하면 이익을 얻고 싶은 것은 당연하다. 애초 다른 목적 없이 이익을 얻고자 집을 산 사람들이지 않은가(그들이 아름다운 세상을 위해 임대사업을 한다고? 당신 어디 아픈가?). 빨리 현금을 손에 쥐고 자금을 회전시키려 한다. 다른 집을 투자하고 싶어진다는 말이다. 내 경험상 던지는 매물들 대부분이 다주택자의 것이었다. 1주택자는 어디 나사가 하나 빠지지 않는 이상 시세보다 싸게 팔지 않는다. 그 집 팔면 딱히 갈 곳 없지 않은가. 더 좋은 집으로 갈아타고 싶어도, 지금 사는 집을 비싸게 팔아야 한다.

넷째, 그들끼리 경쟁이 붙어 자멸한다.

옆집 다주택자가 2억짜리를 1억 5천에 던지면, 윗집 다주택자는 1억 4천에 던지기도 한다. 다주택자들끼리의 경쟁 덕분에 무주택자들은 저렴하게 내 집을 마련하기도 한다는 말이다.

다섯째, 과도한 집값 폭락을 방어한다.

다주택자들은 상대적으로 겁이 없다. 온종일 부동산 시세와 개발 호재를 찾아보며 행복해하는 변태들이다. 그들은 갖고 싶어 눈이 빠져라 바라만 보던 집들의 가격이 폭락하면, 인생을 바꿀 기회라 판단하고 배팅한다. 집값이 과도하게 폭락할 때 불안감에 휩싸인 시장을 안정시키는 고마운 이들이다.

당신에게 달콤한 세상을 속삭이며, 있는 놈들 두들겨 패주겠다는 사탕발림에 속지 좀 말라. 다주택자를 찍어 누르고 씨를 말린 결과, 지난 5년간 지옥처럼 타오르는 부동산 시장을 당신도 두 눈으로 지켜보지 않았는가. 생지옥이 따로 없었다.

밀턴 프리드먼(Milton Friedman)은 어떤 정책에 대한 판단은 그것이 가져온 결과에 따라 이루어져야 하며, 정의가 깔린 정책인지, 악의가 깔린 정책일지를 생각하는 것이 가장 큰 실수라 강조한다.

빌려 쓰는 놈이 있으려면 소유하는 놈이 존재해야 하고, 소유하는 놈이 있으려면 생산하는 놈이 존재해야 한다. 국가의 인위적 개입으로 생산하는 놈을 탄압하면 그 부담은 소유하려는 놈에게 이동하고, 소유하는 놈을 탄압하면 그 부담은 빌리는 놈에게 이동한다.

당신 나이가 지긋함에도 지금 내 말이 이해되지 않는다면, 그냥 내 책 불태우고 버려라.

국가부채와 가계부채

국가부채 발행으로 화폐가치가 떨어지면 주택 가격이 오른다. 주택 가격이 오르면 그만큼 주택담보대출의 절대 금액도 늘어난다. 그렇기에 국가부채가 늘어나면, 가계부채도 늘어나는 것은 자연스러운 현상이다. 그러나 지난 정권에서는 가계부채가 급증했다는 명분으로 대출 규제를 했다.

본인들이 국가부채를 미친 듯이 찍어내 가계부채가 올랐다는 말은 안 한다. 명분 내세워서 사다리 하나는 기가 막히게 잘 끊는다.

주택뿐만 아니라 필수재의 가격이 모두 올랐다면, 그것들을 구매하기 위해 가계부채가 오르는 것은 상식이다. 생필품 가격이 오른 탓에 한 달 생활비가 50만 원에서 100만 원으로 늘어났다면, 대출 총량이 줄어들 것 같은가? 상식의 문제다. 인플레이션과 가계부채는 밀접한 연관이 있다는 말이다. 이는 세계적인 석학들의 논문에서도 확인할 수 있다.

나는 그럴듯한 명분으로 국민을 속이며, 그저 대선의 승리를 위해 지난 5년간 감당하기 힘들 만큼 오른 주택 가격 상승을 일시적으로 억제해보려 했던 것으로 밖에 보이지 않는다. 당시 대선의 분위기는 안 그래도 (구)여당에게 불리했다. 선거철마저 집값이 폭등하면 대선 패배는 확정이나 다름없었다. 한국인들은 유독 부동산에 민감하기 때문이다.

내가 가계부채 증가를 명분으로 대출 규제 하는 놈들을 역겹게 평가하는 이유는 명확하다. 가계부채가 증가한 책임이 국가부채를 발행한 본인들에게 있기 때문이다. 그리고 대출을 틀어막는다는 것은 신용을 틀어막는다는 것이고, 이는 자유시장경제가 이념인 나라에서 절대로 일어나서는 안 되는 일이다.

자유를 하나씩 넘겨주다 보면, 언젠가 온몸이 묶여있는 자신을 발견하게 된다.

나는 그날이 오는 것이 두렵다.

2부

세상에
관하여

세상은 잔혹하다

하이에나와 들개들의 사냥 방식은 끔찍하게 잔혹하다. 상대적으로 살이 얇은 사냥감의 항문 쪽을 집요하게 노리고, 항문이 뜯겨나가면 산채로 내장을 끄집어낸다. 항문과 모든 내장이 연결되어 있기 때문이다. 생식기를 물어뜯기도 하는데, 그러면 거대한 코끼리나 하마, 물소도 맥없이 쓰러진다. 쇼크가 오기 때문이다. 그 상태에서 숨통을 끊지 않고 산채로 생살을 뜯어 먹는다.

큐알 코드를 통해 유튜브 영상을 보면, 내장이 끄집어진 채로 자신의 나머지 몸통이 뜯어먹히는 걸 지켜볼 수밖에 없는 영양이 있다. 잔인하기 그지없다. 영상을 보는 것이 거북할 수 있으니 참고하라. 실제로 점박이 하이에나의 사냥 장면은 극도로 잔인한 나머지 다큐멘터리에서도 손사래를 치며 검열하고, 결국 날 것 그대로를 방영하지 않는다.

암컷 임팔라가 새끼를 낳은 지 5분도 되지 않아 그걸 본 하이에나들이 바로 달려들기도 한다. 어미가 새끼 곁을 떠나지 못할 걸 알았기 때문일까. 어미는 결국 산 채로 뜯어 먹힌다. 세상에 나온 지 5분도 안 된 새끼도 산 채로 뜯어 먹힌다. 그러고 보면 목을 물어 숨통을 끊고 식사하는 사자들이 오히려 신사적이다.

그러나 사자들도 실수한다. 새끼 코끼리가 사자무리에게 사냥당하는 영상을 우연히 보았는데, 사자들이 배가 고팠는지 안타깝게도 새끼 코끼리의 숨통을 끊는 것을 깜빡한 것이다. 결국 그 새끼 코끼리는 산 채로 뜯어먹혔다. 나는 보았다. 산 채로 다리가 뜯겨나가고, 창자가 튀어나오는 그 광경을(보기 거북해서 중간에 꺼버렸다.).

내가 세상의 날것이 담긴 영상들을 보며 느낀 것은 세상은 조금도 아름답지 않다는 것이다. 당신이 본 건 동물의 세계 아니냐 할지 모르겠다. 장난하는가? 사람 사는 세상은 더하다. 당신이 살아 숨 쉬는 지금 이 순간에도 날마다 수천 건의 사기가 새롭고 치밀하게 판을 치며, 이유 없이 인간을 토막 내어 유기한다.

무참히 강간하고 불구로 만들어버리는 것도 흔히 볼 수 있다. 핏덩이 같은 아동을 학대하며 정신병에 이르게 하는 것도 인간이다. 자기 자식까지 베란다에 던져버리는 세상이다.

지방에 부동산 투자라도 하러 가면 너나 할 거 없이 싹 다 돈에 미쳐 눈이 시뻘게져 있다. 인간들은 더하다는 것을 당신들 눈으로 지금까지 보지 않았는가. 도대체 누가 세상이 그리 아름답다고 하던가.

세상은 잔혹하다. 쓰잘머리 없는 감상과 위로에 젖어있을수록 뒤처지고 죽어가는 게 세상이다. 새끼 코끼리를 보라. 새끼여서 봐주는 게 아니라 새끼이기에 공격당한다. 약자들에게 잔인할 정도로 비참한 삶을 선물하는 것이 세상이다. 항문과 생식기를 뜯어내 내장을 끄집어내는 하이에나를 보라. 어떻게든 내 약점을 파고들어 나를 끌어내리려 하는 것이 세상이다.

나는 세상에 대한 기대를 버린 지 오래다. 세상의 잔혹함을 받아들이니 어떤 삶을 살아야 하는지 알았다. 사자의 삶이다. 무력하게 뜯어먹힐 바에 내가 찢어발길 것이다. 나는 그렇게 세상의 잔혹함과 마주하고 있다. 너도나도 부르짖는 선한 영향력과는 거리가 먼 인간이며, 그래서 날 것 그대로를 이야기하다 욕을 한 바가지 먹는 경우도 부지기수다.

그러나 내 신념은 조금도 변하지 않는다. 잔인하게 산 채로 뜯어먹히며 내장이 널브러진 내 모습을 힘없이 바라볼 바에야 굶어 죽더라도 사자로 살 것이다. 모두가 눈이 시뻘게져서 자기 호주머니 채우기 바쁘다. 이 잔혹한 세상에서 당신 가족은 지켜야 할 것 아닌가.

새끼 사자부터 시작해도 괜찮다.

한 마리의 사자로 살아라.

먹잇감 되기 딱이다

나한테 투자처 물어보는 이들이 많다. 미안하지만 그걸 나에게 물었다는 것 자체가 이미 이성을 잃은 것이다. 식당 주인은 본인을 위해 밥을 차리며, 그 누구도 당신을 위해 살지 않는다. 세상의 절대 진리를 역행하지 말라.

나도 "저만 믿으세요" 같은 개소리 지껄이면 돈 쉽게 벌린다. 그러나 당신 머리가 장식이 아니라면 생각해보라. 100% 돈이 될 투자처를 알면 내가 유튜브 왜 하고 있겠는가? 내 돈도 리스크 테이킹하고 배팅하여 겨우 불린 것이며, 크게 실패한 것이 대부분이다.

내가 사기꾼이면 어쩔 건가? 내가 당신에게 돈 얼마 있냐 묻고, 나만 협상 가능한 투자 가치 높은 부동산이 있는데 돈이 있어야 협상 가능하니 일단 당신이 가진 돈부터 싹 다 부치라고 속삭이고, 당신은 그 즉시 홀랑 전 재산을 부쳤다고 치자. 그런데 내가 해외로 날랐다. 그럼 어쩔 건가?

당신들 나 아는가? 유튜브에서 몇 번 봤다고 나를 아는가? 남한테 기대면 한순간에 모든 게 끝장난다. 어쩌다 한 번 성공해도 언젠간 끝장난다. “내 돈, 너한테 드릴게요” 이렇게밖에 안 들린다. 그딴 식으로 살면 어디 가서 먹잇감 되기 딱이다.

당신들을 세상에서 가장 사랑하는 부모도 알려 주지 못한 최고의 투자처를 나 같은 일개 유튜버에게 알려달라고 하면, 내 능력 여부를 떠나 그게 세상의 이치에 맞는가?

나는 더 이상 돈에 쪼들리며 살진 않는다. 이기적으로 나만 생각하면서 살았기 때문이다. 그래서 그나마 이렇게 사는 것이다. 그러면 내가 당신들을 이용해 먹을 가능성이 높지, 당신들한테 대가 없이 덜컥 뭔가를 줄 가능성은 높지 않다.

물론 내 유튜브 애청자들은 내가 강의나 컨설팅을 아예 하지 않겠다고 박제를 해두었기에 누군가를 등쳐먹지 않을 것임은 알고 있다. 그리고 가슴에 손을 얹고 생각해보라. 누군가 당신에게 와서 100억 버는 법을 알려달라 한다. 그리고 당신이 줄 수 있는 능력이 된다고 치자. 줄 것인가?

사자 아가리에 머리를 들이밀지 마라.

경쟁은 아름답다

시장에는 수요자와 공급자가 있다. 보통 경쟁이라는 건 공급자들 사이에서 일어난다. 공급자들은 더 높은 품질의 상품, 더 새로운 기능을 탑재한 상품, 더 가성비 좋은 상품을 개발하며 너도나도 소비자의 선택을 받기 위해 눈물 날 정도로 발악한다.

경쟁이라는 시스템에는 심판이 있다. 소비자다. 소비자라는 심판이 있기에 무질서한 상태가 아닌 정교한 질서가 적용된 상태다. 경쟁은 자연스러운 사회적 질서라는 말이다.

그러나 경쟁 자체를 악으로 규정하며 자본주의 시장경제를 비판하는 세력들이 있다. 그들은 경쟁을 어떻게든 더 악마화시키기 위해 '무한 경쟁', '혹독한 경쟁' 같은 단어를 만들어 낸다. 아주 그냥 지랄들을 한다.

경쟁은 원래 끝이 없다. 그래서 세상은 끝도 없이 눈부시게 발전했다. 경쟁은 원래 혹독하다. 그래서 당신들의 성공이 더욱 빛난다. 쟁취한 이들은 쟁취하지 못한 이들보다 적을 수밖에 없으며 이 희소성이 주는 찬란함에서 삶의 보람도 느끼는 법이다.

나에게는 40만의 구독자가 존재한다. 나는 이를 기쁘게 여긴다. 혹독한 경쟁에서 쟁취한 것이기 때문이다. 아무나 갖기 힘드니까 기뻐하는 것이다. 이 당연한 것을 말로 해주어야 알아먹는 놈들이 있다는 사실에 회의를 느낀다.

경쟁을 싫어하는 놈들은 경쟁력이 없는 놈들이다.

경쟁을 악이라 규정하는 놈들이야말로 악이다.

경쟁은 세상을 피폐하게 만드는 뇌관이 아니며, 오히려 당신들이 누리는 윤택한 삶의 파이를 키운다. 당신의 스마트폰을 보라. 그것을 발명한 회사는 승자다. 나머지 기업들은 싹 다 불행한 패자인가? 경쟁을 통해 스마트폰이 세상에 탄생하지 않았다면 카카오톡, 배민, 인스타그램 등의 거대 기업들은 탄생하지 못했다.

장담컨대 당신들은 저 어플을 사용한 적이 있을 것이며, 이 기업들은 수많은 일자리를 창출한다. 경쟁은 수많은 패자들의 처참한 삶을 양산하는 시스템이 아니다. 수많은 사람을 다 같이 승자로 만드는 시스템이다.

허버트 후버(Herbert Hoover)는 "경쟁은 소비자를 보호하는 기반이며 발전의 동기"라 하였다. 경쟁 덕분에 엄청난 수혜를 누리는 당신이, 경쟁의 혹독한 속성만 물고 늘어지면서 세상에 침을 뱉는다면, 내가 해줄 말은 없다. 그냥 확 뒈져버려라.

당신은 이렇게 말할 수 있다.

"사는 거 힘들어 죽겠는데, 내가 무슨 수혜자냐."

새겨들어라. 당신이 상위 5% 경제 대국인 대한민국에 태어나 한 달에 한 번 놀러도 다니고, 가끔 배달 음식도 시켜 먹고, 아메리카노도 별생각 없이 사 먹는 것 자체가 이미 다른 나라 어떤 이들이 볼 때는 꿈에 그리던 삶이다.

누군가는 당신들처럼 살 수만 있다면, 목숨도 걸 것이라 믿는다. 한국은 그만큼 살기 좋은 나라다. 그리고 한국이 이렇게 잘 살기까지는 경쟁이라는 시스템도 한몫했다.

나는 자식이 태어나면 경쟁을 악이라 가르치지 않을 것이다. 소중하기 때문이다. 차가운 세상에서 잘살아 남기를 바라기 때문이다. 마찬가지로 당신들이 아무리 남이라도 똑같이 말하는 것이다. 당신들도 당신 부모에게는 소중할 것이기 때문이다.

격차는 아름답다

당신은 내 유튜브를 삼성, 애플 같은 거대 기업 스마트폰으로 보고 있을 것이다. 그 거대 기업 스마트폰 안을 자세히 들여다보면 카카오톡, 배민, 야놀자, 네이버, 크롬, 인스타그램 등 거대 기업의 어플이 존재한다.

격차가 그렇게 나쁜 것이라면 거대 기업들이 영세 기업들과의 격차를 벌리는데, 도대체 왜 당신이 앞장서서 도움을 주는가? 본인들이 누구보다 격차에 일조하고 있다는 생각은 죽어도 못한다.

당신들이 코스트코 그만 가고 영세한 마트 찾아가야 격차가 조금이라도 해소될 것 아닌가. 당신들부터 투썸 그만 가고 영세한 카페 찾아가야 격차가 조금이라도 해소될 것 아닌가. 당신들부터가 거대 기업과 자본주의를 너무 좋아하는 이상 격차는 절대 사라질 수 없다.

그리고 제발 정신들 좀 차려라. 당신들보다 위에 있는 자들과의 격차는 애새끼들처럼 길길이 뛰면서, 왜 당신들보다 아래에 있는 사람들과의 격차는 모르는 척하는가.

대한민국은 전 세계 250개국 중 10위 안에 드는 경제 대국이며, 나머지 240개국은 한국보다 밑에 있다. 당신들부터가 그들의 위치로 똑같이 내려갈 생각이 없지 않은가. 역겨워서 올라올 것 같다.

'격차 없는 세상' 같은 개소리 좀 그만 부르짖어라. 격차는 아름다운 것이다. 구글은 유튜브라는 플랫폼으로 천문학적인 부를 이뤘다. 소위 말하는 격차를 엄청나게 벌린 것이다. 그러나 유튜브로 인해 탄생한 개천용은 셀 수 없이 많다(나도 수혜자다.).

유튜브 덕분에 부자가 된 유튜버들이 영세한 빵집에서 빵도 사고, 영세한 정육점에서 고기도 산다. 경제는 더욱 건강해진다. 격차가 커졌는데, 하류 계층의 삶의 질은 오히려 좋아진 것이다. 나는 도대체 삼성, 현대가 돈 잘 벌어서 당신들이 손해 본 게 뭔지 궁금하다(있으면 제발 좀 알려주라.).

가령 인천광역시 송도에 세계 최고 부자인 일론 머스크(Elon Musk)가 이사 온다고 가정하자. 격차 최상단에 있는 소위 '끝판왕'이 오는 것이니 내가 불행해질 것 같은가? 일론 머스크가 혼자 내는 세금만 13조다. 한국의 개인 소득세를 전부 합친 규모다. 그 돈을 어디에 쓸 것 같냐. 이 닭대가리들아.

테슬라 본사도 옮길 것이기에 부자들이 원하는 고급스러운 시설과 유흥이 끊임없이 생겨난다. 그렇게 도시는 미친 듯 고급화된다.

그리고 정신들 좀 차려라. 당신들이 더 나은 삶을 위해 노력하는 것 자체가 격차를 만들고 있다. 당신들보다 노력을 안 한 누군가는 분명히 당신들보다 아래에 있을 수밖에 없지 않은가. 당신들이 노력하는 걸 강제로 막을 수 없는데, 도대체 무슨 재주로 격차를 막는다는 것인가. 내가 이 책을 쓰고 있는 걸 막아봐라. 막을 수가 있나.

불과 15년 전에는 인터넷도 되지 않던 핸드폰들이 100만 원은 우습게 넘겼다. 그러나 지금은 카메라, 인터넷 속도, 디자인, 하드웨어 성능, 터치감 등 모든 면에서 10배는 좋아졌는데도 오히려 더 저렴하게 쓸 수 있는 이유가 무엇인가.

수많은 회사가 다른 회사들과의 격차를 만들기 위해 밤낮 안 가리고 끊임없이 노력했기 때문이다. 그 이득이 소비자인 당신들한테 돌아갔다.

격차 때문에 당신들이 손해 본 게 도대체 무엇인가. 나는 일론 머스크가 지금보다 1,000배 부자가 되든 말든 상관없다. 개인 우주선에서 캐비어를 먹든 말든 내 알 바 아니다. 마음껏 격차 벌리라고 하고 싶다. 나는 전 세계 상위 5%, 자유시장경제가 돌아가는 대한민국에서 태어났기에 충분히 행복하다.

에머슨(Ralph Waldo Emerson)은 "가난하다고 느끼는 곳에 가난이 존재한다" 하였다. 내가 격차 없는 세상 만들겠다는 이들을 인간 취급도 안 하는 이유다. 충분히 행복하게 잘 살고 있는 이들에게 쪼르르 달려가서 격차 꼭대기에 있는 이들만 쳐다보도록 시선을 돌리고, 있는 놈들에게 분노하라고 세뇌시킨다.

저들 때문에 당신이 불행한 것이라는 개소리를 늘어놓으며, 순진한 이들에게 쓰레기 같은 공산이념을 주입한다. 격차를 악이라 규정하는 놈들이 악이다. 격차가 전혀 없는 북한은 왜 전 국민이 개천에 꼬라 박혀있고, 격차 끝판왕 대한민국은 왜 전 세계에서 가장 잘사는 나라 중 하나로 꼽혔는지 장식이 아닌 그 머리로 한 번쯤 생각해보라.

건강한 사회는 격차가 아닌 가난한 이들의 삶의 질에 집중한다.

당신 노력 따위 관심 없다

당신이 피자를 팔고 있다. 문제는 당신 피자가 바닥에 내리꽂고 싶을 정도로 맛대가리 없다. 당신이 그 피자 제작을 위해 엄청난 시간을 갈아 넣었고, 명문 대학에서 박사 학위까지 땄기에 피자 한 판당 최소 5만 원은 받아야 함을 주장하면, 대중의 반응이 어떨까. 정신 나갔다고 한다.

박사고 나발이고, 피자가 맛대가리 없는데 말 같지도 않은 소리 집어치우라고 할 것이 뻔하다. 이것이 바로 시장에서의 가격 결정 방식이다. 시장은 당신이 어떤 사람인지, 얼마나 개고생했는지, 얼마나 돈을 때려 박았는지, 얼마나 시간을 갈아 넣었는지 그딴 건 조금도 관심 없다. 소비자가 얼마나 만족했느냐만 본다.

가격이라는 건 노동자의 입장이 아니라 소비자의 입장에서 결정된다는 말이다. 피자를 서울대 박사가 만들든 개불대 해삼학과가 낙제생이 만들든 신경 안 쓴다. 철저하게 피자가 맛대가리 있는지 없는지만 본다.

잘 생각해보라. 당신도 내 유튜브 영상의 내용이나 내가 쓴 글을 볼 때, 내 가방끈 보고 판단하지는 않을 것이다. 그러니까 단기간에 40만이나 구독한 것 아닌가.

나는 늘 말한다. 시장의 차가움을. 시장경제에서 선택받기 위해서는 당신의 노력을 강조하는 정신 나간 짓을 할 게 아니라 소비자에게 박박 기면서 소비자를 만족시키려고 발악해야 한다. 막말로 내가 개소리만 늘어놓고, 영상 편집 열심히 했으면 그걸 당신들이 시간 내서 봐줘야 할 이유가 있는가? 말 같지도 않은 소리 좀 집어치워라.

당신의 입장은 조금도 중요하지 않다. 나는 그래서 강성 노조를 한심하게 본다. 본인들의 경쟁력은 쥐뿔 아무것도 없지만 철저하게 본인들의 입장만 내세우고, 본인들만의 기준을 회사에 강요하고, 회사는 적자가 나서 개박살 나는 와중에도 본인들임금이나 처올려달라면서 애새끼들처럼 떼쓰고 앉아있기 때문이다.

그들이 진정 능력 있다면, 그런 비신사적인 방식으로 임금 올려달라 발악하지 않아도 경영진이 알아서 그들을 상전처럼 모실 것이며, 혹시라도 이런 인재가 다른 회사로 가버리진 않을까 안절부절못할 것이다. 당연히 그들 몸값은 부르는 게 값이다.

그러나 경쟁은 싫어한다. 노력도 싫어한다. 골때린다. 자유시장은 당신 몸값을 생각보다 정직하게 평가한다. 당신 노력 따위는 잊어버려라. 오로지 소비자가 얼마나 만족하는지만 봐라.

이게 이해되지 않는다면 병원 가봐라.

일하기 싫으면 그냥 죽어라

기본소득. 듣기만 해도 든든하다. 일하지 않아도 돈이 꽂힌다. 그런데 그 돈은 어디서 구하냐? 돈이 일단 있어야 나눠줄 수 있지 않겠는가. 열심히 일하며 돈 많이 버는 이들에게 걷으면 되지 않냐고? 아니 그들이 바보 등신인가? 열심히 일할수록 뺏기는 것만 늘어나면 일을 열심히 하겠는가?

기본소득 받는 이들이 열심히 일하면 되지 않느냐고? 머리가 달려있으면 생각해보라. 기본소득의 취지를 생각하면, 많이 버는 이들에게는 지급하지 않을 것 아닌가. 결국 그 푼돈에 취해 더 이상 열심히 일하지 않는 이들이 생길 수밖에 없다.

월급 150만 원 이상인 이들에게는 기본소득 50만 원을 주지 않는다고 하자. 당신이 제정신이라면 월급이 160만 원으로 오르길 바라지 않을 것이다. 남들보다 더 열심히 일했는데 40만 원 적게 받지 않는가.

그렇게 나라 경제가 무너지는 것이다. 너나 할 것 없이 그 푼돈에 눈이 멀어 키우는 개새끼마냥 배급받으려고 아무것도 하지 않으려 하기 때문이다.

진짜 문제는 이제부터 시작이다. 원래는 뼈가 부서지도록 일해야 50만 원을 벌었는데, 이제는 아무것도 안 해도 매달 50만 원을 받으면, 이 50만 원의 가치가 예전과 같을 수 있겠는가? 시간이 지날수록 돈의 가치는 폭락한다. 상식의 문제다.

세상에 존재하는 빵의 개수는 그대로인데, 돈의 양만 늘어난다면 어떻게 될까? 파리바게뜨 빵 하나에 200만 원 되는 건 일도 아니다.

1920년대 독일의 초인플레이션

1920년대 초인플레이션 발생 당시 독일의 모습이다. 저 땔감으로 쓰고 있는 종이가 무엇인지 아는가. 돈이다. 돈의 가치가 쓰레기로 전락하니 이젠 하다 하다 돈 태워서 불 피우고 있다. 기가 막히는 광경이다. 저 꼬라지가 남 일 같은가?

기본소득을 뿌리면 얼마나 뿌리느냐에 따라 정도에 차이가 있을 뿐 분명히 물가는 폭등한다. 이미 헝가리, 독일, 짐바브웨, 중국 등에서 검증이 끝났다. 5천 원이면 먹을 수 있는 짜장면을 5천만 원 줘도 못 먹는다. 기가 찬다.

인플레이션 세계기록을 보유한 헝가리는 1946년 7월, 물가 상승률이 1경 3,600조%였다. 그리고 물가가 폭등하면 고통받는 이들이 부자들이냐?

세계적인 경제 석학이자 《인플레이션》의 저자인 하노벡(Hanno Beck)의 말이다.

"인플레이션으로 인해 생긴 짐은 적게 가진 자가 더 많이 짊어지게 되어 있다."

서민들만 죽어 나간다. 부자들은 화폐가치 하락을 예상하고, 부동산이나 다른 패권국의 화폐, 금과 같은 실물자산을 사놓기에 대개 살아남으며, 오히려 자산규모가 위로 올라가기도 한다. 그러나 서민들은 집이고 뭐고 아무것도 없다.

서민들을 위한다는 기본소득이 서민들만 지옥으로 내몰게 된다는 것을 알면서도 이 악물고 모르는 척하는 놈들을 보면 한대 후리고 싶다.

당신에게 거위가 있다. 그냥 거위가 아니라 황금알을 낳는 거위다. 당장 배고프다고 이 거위를 잡아먹으면 어떻게 되겠는가. 기본소득도 같은 맥락이다. 돈 뿌리기 위해 돈을 찍어낼 수만은 없으니, 기업들의 법인세를 올려야 한다. 하도 뜯어가니 더 이상 버틸 수 없는 지경에 이르고, 다른 나라로 법인 주소지를 옮긴다. 그렇게 양질의 일자리가 사라진다.

황금알을 낳는 거위가 죽은 것이다. 황금알 팔아서 거위 고기를 사 먹으면 될 것을, 거위를 죽여서 먹으려고 하니 이런 비참한 결말을 맞는 것이다. 멀쩡한 거위를 죽일 게 아니라 거위의 건강을 유지하고, 거위의 수를 늘리는 데에 집중하여 황금알을 장기적으로 많이 얻는 게 현명하듯, 기업들 돈 뺏어서 게으른 놈들에게 뿌려서는 안 된다. 기업이 돈을 잘 벌게 지원하고, 돈을 잘 버는 기업의 수를 늘려 국민이 돈을 많이 벌도록 하는 것이 현명하다.

역사를 보라. 대한민국은 세계가 놀랄 만큼 기적의 성장을 이룩했다. 기본소득 뿌려서 성장하지 않았다. 기업을 지원하여 성장한 나라다. 정답지가 이미 있는데도 기본소득 안 준다며 울고불고 지랄 육갑을 떠는 사지 멀쩡한 청년들을 보고 있으면, 지독히도 한심해서 확 뒈져버리라는 말 밖에 나오지 않는다.

초등학생도 잠깐 들으면 알 수 있는 이 간단한 경제 지식을 정치인들이 모를 리가 없다. 그들 중에는 스카이 출신도 많다. 나는 확신한다. 그들은 알고 있다. 나는 진실을 다 알면서도 국익을 팔아먹고, 국민 혈세로 매표 행위하는 놈들을 경멸한다.

진정으로 청년들에게 필요한 건, 거위를 키우는 방법이지 멀쩡한 남의 거위 뺏어와 찢어발긴 후 닭다리 던져주는 게 아니다.

최저임금에 관하여

취약계층이 최소한의 삶의 질을 영위할 수 있도록 안전장치를 마련하는 것이 최저임금 정책의 본질이다. 사치품을 향유할 수 있는 수준의 임금이 아니라는 말이며, 최저임금으로 집도 사고, 차도 사고, 아이폰도 사고, 매달 여행 다닐 수 없는 것은 당연하다.

호화로운 수준의 삶을 최저임금 받는 이들이 누리지 못한다고 불만 가득한 놈들을 볼 때면 삶의 형태가 어떤 모양일지 안 봐도 예측이 가며, 역시 시궁창에서 굴러다니고 있는 걸 어렵지 않게 볼 수 있다. 몸값을 올리기 위해 밑바닥에서 개같이 굴러도 모자란 시간에 고용주에게 돈 달라고 울부짖는 걸 보고 있으면 없던 환멸도 갑자기 생긴다.

욕 좀 하자. 더럽게 한심하니 그냥 접싯물에 코 박고 죽어라. 물론 연로하거나 장애가 있는 이들의 최저임금 인상 요구는 이해한다(진심이다.).

그러나 당신이 사지 멀쩡한 젊은 청년들이라면 비록 지금 당장은 최저임금을 받더라도 최저임금을 벗어나려는 고민이 정상인 것이지, 최저 임금을 '평생' 받을 생각을 하는 건 비정상이다(이 멍청하고 한심한 닭대가리들아.).

젊고 건강한 청년이 최저임금 몇백 원 더 받아내기 위해 온종일 목 터지게 부르짖는 걸 보고 있으면, 마치 다른 생물체를 보고 있다고 느낄 정도로 미개하고 이질적이라는 기분이 들며, 그 짓거리를 한다는 것 자체가 자신은 '평생' 최저임금 받을 놈이라는 걸 스스로 인정하는 격이라는 사실은 때려죽여도 모른다. 정말 골때린다.

당신 몸값이 어차피 6개월 뒤에 시간당 3만 원이 된다는 확신이 있다면, 한 시간에 몇백 원 더 받기 위해 귀한 시간 내서 울고불고 떼쓰며 투쟁할 이유가 없지 않은가. 나는 때려죽여도 그런 멍청한 짓거리를 하지 않을 것이며, 내 자식이 그러면 내쫓을 것이다.

그런 놈들을 자세히 들여다보면 허구한 날 핸드폰 게임이나 하며 쓰레기통에 시간을 처박는 건 잘하지만, 어머니에게 사랑한다는 말 한마디 하지 않는다. 주접떨 시간에 돈 벌 생각은 때려죽여도 못하며, 돈 받은 만큼 일하려는 거지새끼 DNA를 가지고 있다.

대한민국에는 약 550만 명의 자영업자가 존재한다. 이들은 최저임금 인상에 직격탄을 맞는 부류며, 기존에 3명 쓰던 알바를 2명으로 줄인다. 늘어난 고정비용을 줄이려는 처절한 몸부림은 자연스러운 시장의 생리다.

이 과정에서 실업률이 증가한다. 알바 구직자들이 고통받는 것이다. 특히 능력이 뒤처지는 직원과 경력이 적은 직원부터 자르다 보니 약자에게 더욱 가혹한 세상이 된다. 아이러니한 비극이다.

여기서 끝이 아니다. 인건비가 증가하는 만큼 생산 단가도 증가하지 않겠는가. 생산 단가가 증가한다는 것은 결국 최종 소비자에게 부담이 간다는 것이며, 결국 소비마저 위축되고 돈이 돌지 않는다.

인간은 자신의 얼굴에 주먹이 날아오면 피하려 한다. 각 경제 주체가 대미지를 피하는 과정에서 모든 피해가 약자에게 전가된다. 초등학생도 알만한 것을 이 악물고 모르는 척하는 놈들을 볼 때면 한 대 쥐어박고 싶다.

새겨들어라.

진정한 비극은 열망의 빈곤이다.

있는 놈 괴롭히지 말라

전기 요금은 전기 사용량에 따라 요금 단가를 높이는 누진제다. 많이 쓸수록 쓴 만큼 내는 게 아니라 쓴 것보다 더 낸다. 그런데 당신은 왜 누진제를 찬성하는가. 맞다. 사람들이 전기를 아껴 쓰게 하는 효과가 있다. 즉, 누진제는 특정 행위를 억제한다 할 수 있다.

마찬가지로 소득세 누진제는 당연히 소득을 창출하는 행위를 억제하며, 국가 경제 성장을 억제한다. 가계, 기업 등의 경제주체가 활동할 동기를 억제한다. 이 간단한 진실을 외면하는 놈들은 도무지 이해 가지 않아 욕을 때려 박고 싶으며, 그 머릿속을 뒤집어 까서 들여다보고 싶을 지경이다.

성실할수록, 노력할수록, 도전할수록 더 많이 뺏어가기에 그만큼 혁신은 더디게 진행된다는 것을 내가 말로 해주어야 알아먹겠는가? 걷히는 세금은 오히려 줄어들기도 한다. 부자들과 기업들이 나라를 떠나기 때문이다.

스웨덴에서 탄생했지만, 본사를 네덜란드로 옮겨버린 이케아(IKEA)나 아일랜드에서 탄생했지만 네덜란드에 지주회사를 설립한 록 밴드 유투(U2), 프랑스에서 탄생했지만 스위스와 벨기에 국적인 영화배우 알랭 드롱(Alain Delon)과 제라르 드 빠르디유(Gerard Depardieu), 프랑스에서 탄생했지만 벨기에로 귀화 신청해 버린 LVMH 그룹의 회장 베르나르 아르노(Bernard Arnault)가 대표적인 예다.

미국의 경제학자인 아서 래퍼(Arthur B. Laffer)는 밀턴 프리드먼(Milton Friedman)과 함께 레이거노믹스와 대처리즘의 기반을 만들고 80년대의 경제 번영을 이끌었다. 그는 세율과 세수의 관계를 그림으로 쉽게 설명했다.

1974년 12월 4일 저녁, 워싱턴D.C의 한 식당에서 래퍼를 포함한 당시 4명의 경제 관련 주요 인사가 식사 중이었다. 당시 미국 경제는 엉망진창이었다. 성장은 주춤했고, 실업률은 9%를 넘나들고, 물가상승률은 12%에 이르렀다.

래퍼는 냅킨을 펼쳐 그림을 그려가며 자신의 이론과 해결책을 제시한다. 래퍼 곡선(Laffer Curve)이 탄생하는 순간이다.

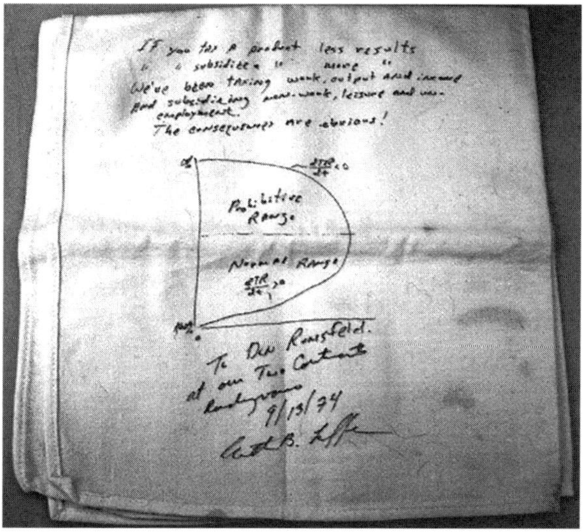

래퍼가 냅킨에 직접 그린 '래퍼 곡선'

래퍼 곡선의 의미는 간단하다. 세율을 지속적으로 올리면 일정 기간 세수가 증가하지만, 일정 수준을 넘어서면 오히려 세수가 줄어든다는 것이다. 제품의 가격을 급격하게 올리면 팔리지 않아 손해를 보는 것과 비슷하다.

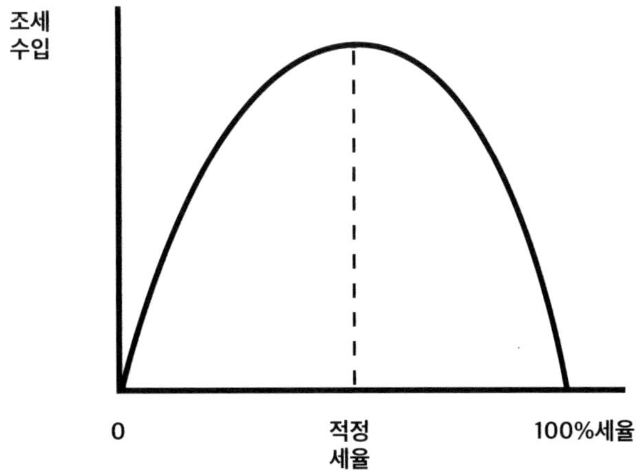

래퍼 곡선과 조세수입 확대

실례로 미국은 2018년 법인세 최고세율 35% 누진제에서 21% 단일세율로 개편한 뒤 세수가 크게 증가했다. 모종의 이유가 작용하고 시대적 컨텍스트가 있었겠지만, 파격적인 인하율에도 불구하고 세수가 증가했다는 것은 눈여겨 볼만하다.

그러면 부의 불평등은 어떻게 해결하냐고? 나도 노동수익률이 자본수익률을 이길 수 없다는 것을 심각히 여긴다. 프랑스 출신의 세계적인 경제학자 토마 피케티(Thomas Piketty)도 자신의 저서인 《21세기 자본》에서 이를 문제 삼았다. 피케티는 2008년 금융위기 이후 조명된 불평등 문제를 300년간의 역사적 통계를 통해 "1945~1975년 이후 불평등이 심화하고 있으며 이것은 21세기에도 지속될 것"이라 전망했다.

또한 피케티는 성장과 불평등 사이의 관계를 낙관적으로 조망해 경제가 발전함에 따라 불평등이 해소된다 주장한 사이먼 쿠즈네츠(Simon Kuznets)의 이론에 근본적인 의문을 표하고, 그를 저격했다(참고로 쿠즈네츠는 경제성장에 관한 연구로 1971년 노벨경제학상을 수상했다.).

피케티 자신이 직접 20여 개국의 경제지표를 분석해 각 국가의 소득분배를 확인해보니 오히려 불평등이 더 심해지고 있었다.

r(자본수익률) 〉g(노동수익률)

피케티의 불평등 부등식

돈이 돈을 버는 속도가 사람이 돈을 버는 속도보다 빠르기 때문이다. 그러나 소득세 누진제는 전 세계가 동시다발적으로 시행하여야 의미가 있다(이는 현실적으로 힘들다. 패권을 쥐고 있는 미국이 먼저 움직여 준다면 몰라도). 그렇지 않으면 세율이 낮은 나라로 부유층이 이동하며, 부유층이 떠난 나라는 경쟁력이 사그라든다. 프랑스와 브라질이 그 대표적인 예다.

세수는 이전보다 감소하고, 지하 밑바닥에서 하루하루 지옥과도 같은 절망적 가난을 겪고 있는 취약 계층을 도울 세금도 거덜 난다. 서민들이 죽었으면 해서 부자증세에 회의적인 것이 아니다. 부자가 있어야 나라가 돌아가기 때문이다.

나는 그래서 전 세계적인 움직임을 무시하고, 과한 누진제를 부르짖는 닭대가리들을 굉장히 한심하게 생각하며, 그것이 뇌관이 되어 서민들을 더욱 고통스럽게 한다는 것을 말로 해줘야 안다는 사실에 회의를 느낀다.

부자들과 기업에게 뺏은 돈으로 얻은 공짜의 것들이 정말 공짜 같은가? 찢어지게 못 사는 나라 중 가공할 만한 크기의 대기업이 있는 나라가 하나라도 있는가? 눈부신 번영을 이룬 나라들은 단 하나의 예외도 없이 대기업을 소유하고 있다.

이는 기업이 국가 경제의 핵심임을 보여준다. 국가가 발전하려면 기업이 이익을 내도록 지원해야 한다는 말이다. 누진제는 기업의 이익이 높을수록 지원하는 정책이 아니라 기업의 이익이 높을수록 벌을 주는 정책이다.

당신도 대학에서 높은 성적을 내면 장학금 받는 건 당연하게 생각할 것이다. 부자들과 기업도 마찬가지다. 천문학적인 세금을 내고 고용을 창출했으면, 그만큼 벌을 주는 게 아니라 지원을 해주는 게 맞다.

대한민국은 그들이 내는 세금으로 도로를 깔고, 국방도 하고, 치안을 유지하고, 취약 계층 복지도 한다. 눈이 있으면 주변을 봐라.

유튜브를 하다 보면 하루에도 수백 개의 악성 댓글과 쌍욕을 본다. 그러나 욕을 하면서도 이것만큼은 부정하는 이들은 단 한 명도 보지 못했으며, 그들도 최소한의 양심이 있기 때문이다. 대한민국의 훌륭한 인프라를 이용해서 돈을 벌었으면 세금은 당연히 내는 게 맞다.

나는 그것을 부정하는 것이 아니다. 많이 벌수록 많이 내는 것도 불만 없다. 그러나 누진세율이 아니라 동일세율을 적용해도 많이 벌수록 많이 내는 것은 명백한 사실이다. 그 이상을 요구하는 건 당신의 역겨운 도둑놈 심보로밖에 보이지 않는다.

남의 돈을 탐내는 당신들의 인생 꼬라지가 훤히 보인다. 노블리스 오블리제? 염병 주접떨고 있네. 그걸 왜 당신들이 부르짖는가? 수치라는 게 있는가? 누가 들으면 당신들이 번 돈인 줄 알겠다.

당신 집이 없는 이유

다주택자가 집을 쓸어 담아서 당신 집이 없는 것인가? 내가 글을 쓰고 있는 시점인 2023년 2월 현재, 집값이 30~40% 빠진 상태다. 신기한 건 현재 서울 아파트 거래량이 밑바닥을 기고 있다는 것이다. 월 7백~8백 건이다. 원래 평균은 6천 건, 많을 때는 1만 건도 우습게 넘어간다. 거래량이 모든 걸 말해준다.

집값이 이렇게 내려갔음에도 불구하고 사람들은 집을 사지 않는다. 뭔가 이상하지 않은가? 투기꾼들이 집을 다 뺏었기 때문에 못 샀다고 하지 않았는가? 드디어 기회가 왔는데 당신들은 왜 집을 사지 않는가? 제발 그 역겨운 위선의 탈 좀 벗고 솔직해져라.

바닥에 잡고 싶은 것이다. 집값이 더 빠질 것 같으니 안 사는 것 아닌가. 무주택사들은 집값이 내려가기 시작하면 안 산다. 두려움을 느끼며 월세나 전세로 도망간다. 매매가가 내려가면 전세로 수요가 이동한다는 건 50년의 한국 부동산 역사가 보여준다.

이명박, 박근혜 정권 시절 부동산 매매, 전세 지수 그래프를 확인해보라.

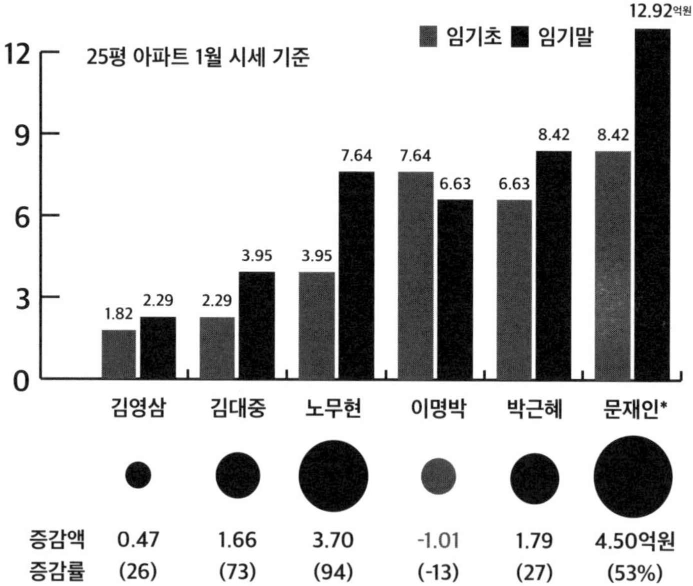

정권별 서울 아파트값 시세 변화

반면에 다주택자들은 집값이 내려가면 반드시 산다. 애초에 많이 사재끼니까 집이 많은 것이다. 그들은 고작 몇천만 원 들고 수억, 수십억을 먹어본 사람들이다. 그들은 그 짜릿한 돈맛을 잊지 못한다. 10년 동안 개처럼 일해도 벌기 힘든 돈을 단 몇 개월 만에 만져본 그들이 그것을 잊을 리 없다. 사자가 고기를 싫어한다는 게 더 설득력 있다.

그들은 부동산이라는 재화가 회복할 수밖에 없다는 것을 경험적으로 알고 있으며, 그 경험이 하락장에서의 과감한 배팅을 가능하게 한다. 그들은 돈을 위해 집을 여러 채 매수할 뿐이며, 몸은 하나라 나머지 집은 전세로 줄 수밖에 없다.

당연히 집을 낭비하는 것이 아니므로 사회적으로 비난 받을 이유도 없다. 전세는 그렇게 좋아하면서도, 그 전세를 제공하는 다주택자들은 싫다는 인간들을 보고 있자면, 그냥 확 뒈져버리라는 말이 하고 싶을 만큼 멍청하고 한심하여 인간 취급도 하지 않는다.

내가 꿈을 꾸고 있나 싶을 정도로 기가 찬다. 애초부터 정부가 국민을 위해 건설사에게 무료로 땅을 나눠주고, 건설사가 국민을 위해 무료로 집을 지어 모든 국민에게 공평하게 집을 한 채씩 공급했다면 다주택자들이 당신들의 집을 빼앗은 게 맞다.

이건 내가 인정한다.

처음부터 정부가 준 것을 혼자만 여러 채 갖고 있는 것은 도둑놈 아닌가? 이런 경우에 집은 '사는 것'이 아니라 '사는 곳'이라고 해도 된다.

정부가 지하철을 만드는 이유를 생각해보라. 정부가 신도시 택지를 지정하고 개발하는 이유도 생각해보라. 땅값이 오르면 건설사에 팔아먹어야 하기 때문이다. 건설사가 멋진 새 아파트를 비가 오나 눈이 오나 3년 동안 개고생하면서 짓는 이유를 생각해보라. 그 아파트, 당신에게 팔아먹어야 하기 때문이다.

집주인들이 본인이 안 살고 당신들에게 전세로 주는 이유를 생각해보라. 집값 오르면 다른 이에게 팔아먹기 위함이다. 이러한 자본주의의 생리를 부정하는 이유를 도무지 모르겠다.

세상은 극도의 탐욕과 극도의 이기심으로 돌아간다. 그 누구도 남을 위해 살지 않는다. 학교 선생들도 월급을 주지 않으면 학교에서 애들 가르치지 않는다. 나랑 내기해도 좋다. 정치인들도 표 안되면 달콤함을 약속하지 않는다. 당신들도 월급 없이 출근하지 않는다.

그런데 어째서 돈 벌려고 집사는 이들을 욕하는지 모르겠다. 나는 그 위선이 역겹다 못해 혐오스럽다. 부동산, 금융, 제조업,

요식업은 물론 내가 속해있는 유튜브 바닥까지. 돈 벌기 위해 눈이 시뻘게진 이들이 달려드는 곳이다.

나도 유튜브 돈 벌려고 한다. 대중을 계몽시키기 위해? 선한 영향력을 퍼트리기 위해?(놀고 있네.) 가장 역겨운 놈들이 명분을 내세우는 놈들이다. 사기꾼들이 가장 많이 하는 말이 무엇인지 아는가.

"저는 여러분을 위해 이걸 합니다."

그러면서 자신은 재산이 몇천억이라 돈 걱정은 없으며, 이제는 좀 나누며 살고 싶단다(지랄염병하네). 선한 영향력을 심고 싶어 유튜브 한단다(그냥 기부해라. 세액공제도 될 텐데?). 당신은 저 말을 믿는가?

이 아파트는 누가 만들었고, 왜 만들었으며, 어떻게 해서 나에게 소유권이 넘어왔고, 나는 이걸 어떻게 하여 이득을 남기고 넘길지를 생각하는 게 아닌 이 아파트 소유권이 나에게 오기까지 극도의 이기심이 작용했다는 사실을 부정하며 되지도 않은 위선이나 떨고 앉아있으면, 그런 썩어빠진 사고로 집을 살 수나 있겠는가?

앞 사람이 이득을 남기기 위해 매수했고, 이득을 남기기 위해 나에게 매도했으며, 나도 이득을 남기기 위해 다른 이에게 매도하는 것인데, 이 과정 자체를 사회적으로 적폐 취급하면 어쩌자는 것인가?

집을 사고팔며 돈을 버는 이들을 적폐로 몰아가는 놈들은 자본주의 사회가 아예 작동조차 못 하도록 하는 놈들이다. 굉장히 지능이 낮으며, 자본주의와 시장에 대한 기본적인 이해도 없고, 어차피 평생을 개천에서 살 놈들인데, 시장 부정하는 김에 그냥 북한 가라.

귀를 닫지 말고 새겨들어라.

당신이 살고 있는 그 아파트는 누군가 돈 벌기 위한 야망과 탐욕으로 만들어 낸 산물이다. 그 탐욕 자체를 부정하고 싶다면, 당장 그 아파트에서 뛰어내려라. 그냥 죽어라.

상대적 우위

인간의 재능은 각자 다르다. 그 재능의 수준마저도 다르다. 여기 네 명이 있다.

A : 촬영을 잘하고, 편집도 잘한다.

B : 촬영을 잘하고, 편집은 못 한다.

C : 촬영을 못 하고, 편집은 잘한다.

D : 촬영도 못 하고, 편집도 못 한다.

그러면 D는 사회에서 쓸모가 없는 인간인가? 이재용 회장이 경영만 잘하는 게 아니라 청소도 잘한다고 하자. 전문 청소부보다 청소를 잘하는 수준이다. 그러면 그가 청소해야 하나? 그런 정신 나간 소리가 어디 있는가? 그 시간에 하다못해 휴식을 취하는 게 효용이 높다.

그가 청소하는 선택에 따른 기회비용이 거의 억 단위에 달한다. 청소부보다 잘해도 그냥 청소부 쓰는 게 낫다는 말이다. 기회비용이 큰 사람의 잡무를, 기회비용이 작은 사람이 대신 한다. 이것이 자본주의를 돌리는 기본 메커니즘이다. 그래서 이 세상에 쓸모없는 사람은 없다.

모든 인간은 절대적 재능의 많고 적음을 떠나서 자기 자신에게 가장 낮은 기회비용이 드는 일이 반드시 하나는 존재한다. 이를 '비교 우위'라고 한다. 손흥민 선수는 축구 경기를 하는 게 가장 기회비용이 적고, 이연복 셰프는 요식업을 하는 게 가장 기회비용이 적다.

나는 늘 고민한다. 나라는 인간의 비교 우위는 무엇일까. 샤워할 때도, 밥 먹을 때도 끊임없이 생각한다. 그래야 내 시간을 싸게 팔아먹지 않는다.

어떻게 사람에게 값을 매길 수 있는지 반문할지 모르겠다. 어디 꿈꾸다 왔냐? 사람에게도 값이 매겨진다. 좀 더 잔인하게 말하면 사람 몸에도 가격표가 붙는다. 적어도 시장에서는 그렇다.

이게 아니꼽게 들린다면 세상이 돌아가는 원리에 대한 기본적인 이해도 없는 것이니 그냥 평생 그 꼴로 살아라.

현금의 권력

당신은 현금이 많으면 무엇을 할 것인가. 바꿀 것이다. 집과 바꾸고, 차량과 바꾸고, 음식과 바꾸고, 옷과 바꾼다. 돈 자체를 소유하려고 돈을 버는 이는 없다. 곰곰이 생각해보면 당신도 10억을 벌고 싶은 이유가 10억을 갖고 싶기 때문은 아니지 않은가. 그 숫자를 보는 것이 좋은 변태가 어디 있겠는가. 이는 현금의 본질이 교환수단임을 의미한다.

그래서 나는 'Cash is Trash'라는 말을 굉장히 싫어한다. 무슨 맥락에서 나온 말인지는 안다. 그러나 현금은 세상 그 무엇과도 교환할 수 있는 힘이 있다. 특정 자동차, 특정 아파트, 특정 시계는 그 물건을 가진 이에게만 가치가 있다. 누군가는 이러한 물건들의 가격에 대하여 같은 가치를 부여하지 않는다.

예를 들어보자. 포르쉐를 되팔 수 없다면 나는 5천만 원에 사라 해도 사지 않는다. 나는 그 정도로 차에 관심 없다. 특정 물건의 가치는 사람에 따라 평가절하될 수 있다는 말이다. 그러나 현금은 어떤가. 누구나 원한다. 그 자체로 현금의 가치는 어마어마하다.

흠이 있다면 가치가 시간이 지날수록 떨어진다. 하노 벡(Hanno Beck)이 그의 저서 《인플레이션》에서 말한 바와 같이 국가는 부채를 발행하여 현금을 살포할 수밖에 없는 숙명에 있기 때문이다.

시장에 없던 돈이 부채를 발행하여 시장에 풀린 것이니 돈의 가치가 떨어지기 마련이다. 돈이 적은데 가치가 떨어질 리는 없지 않은가. 돈이 흔해지니까 가치가 떨어지는 것이다. 돈이 흔해지니 아파트값이 상승하고, 돈이 흔해지니 빵 가격이 오르고, 돈이 흔해지니 인건비가 오르는 것이다.

당신이 내 글을 읽는 순간에도 돈은 계속 늘어난다. 당연히 화폐가치 하락 방어를 위해 자산 전부를 현금으로 가지고 있지 말고, 뭐라도 좋으니 교환하여 배팅해야 한다. 나도 이것은 동의

한다.

그러나 현금의 교환가치가 얼마나 유용한지는 이것과 별개의 문제다. 현금의 감가를 인정하지만, 교환가치로는 이만한 것이 없다. 현금의 '속성'과 현금의 '권력'은 구분하라.

이것조차 구분 짓지 못하는 이가 어떻게 자본주의에 대해 명확한 이해를 할 수 있겠는가?

주식시장은 예술이다

주식시장은 수많은 이들의 감정이 교차하는 곳이다. 누군가는 욕심을 품고 오며, 누군가는 희망을 품고 오며, 누군가는 두려움을 품고 오며, 누군가는 냉정함을 품고 오며, 누군가는 광기를 품고 온다. 다양한 에너지가 유기적으로 맞물려 공존하는 주식시장의 흐름을 감히 당신이 맞출 수 있다고 믿는 것인가. 누구도 못 맞춘다.

주식시장의 흐름을 맞출 수 있는 메커니즘을 이해한다면, 1시간에 몇십억을 벌 수도 있다. 그런 대단한 인간들이 강의를 팔며 유튜브를 할 이유가 없다.

선물시장, 옵션시장, 채권시장, 외환시장, 원자재 시장이라는 수많은 시장에 영향을 받는 곳이 주식시장이며, 연준의 기준 금리 결정과 통화정책에 따라 영향을 받는 게 주식시장이다. 특히 금리 결정은 7명의 연준 이사회 의원과 5명의 미국 중앙은행 총재가 투표권을 가진다. 금리 예측도 신의 영역이라는 말이다.

GDP, 소비자물가지수, 생산자물가지수, 개인소비지출지수, 소비자신뢰지수, 주택판매건수, 산업생산지수, 소매판매지수, 오일저장량, 고용률과 실업률 등 수많은 경제지표에 따라 영향을 받는 게 주식시장이고, 기업의 실적지표와 해당 기업의 경쟁사 실적지표에도 영향을 받는 게 주식시장이며, 갑자기 터지는 금융위기, 질병 사태, 전쟁에 따라 영향을 받는 게 주식시장이다.

아직도 당신이 시장을 맞출 수 있는 것이라 믿는가? 꿈 깨라. 나는 그래서 주식 종목 추천 강의를 하지 않는다. 거의 사기라고 생각하기 때문이다. 내 구독자 중 1%만 강의를 구매해도 한 명당 30만 원이면 한 번에 7억 5천을 당길 수 있지만, 하지 않는다.

주식시장은 예술이다. 몇천 가지, 아니 몇만 가지 이상의 변수들과 경제지표, 자산시장, 기업의 실적지표들이 유기적으로 융합되어 꽃피기 때문이다. 예술의 영역을 감히 맞추려고 들지 마라. 맞출 수 있다고 확신하는 순간이 가장 위험한 법이며, 그 때 오버슈팅하고 자멸하기 딱이다.

반도체 시장이 언제 반등할지, 전기차 시장은 언제 반등할지 그걸 정확히 알고 얼마나 돈이 될지를 꿰뚫고 있다면 내가 유튜브를 왜 하겠으며, 책을 왜 쓰겠는가. 이런 질문이 멍청한 짓이라는 것을 깨닫는 순간, 당신은 성숙한 투자 여정의 시작점에 서 있는 것이다.

양극화

자본주의에 관한 부정적 시각은 자본주의에 대한 부정적 이해에 기반한다. 대표적인 것이 양극화다. 올바른 명칭은 양극화가 아니라 격차다. 양극화의 사전적 정의는, 양쪽 극단에 소득계층이 몰려있다는 것이다(Polarzation). 지금 대한민국이 그러한가?

내 책을 보는 이들 중 자산 규모 100억 이상인 극단에 위치한 부자가 몇 명이나 되는가? 마찬가지로 평생 죽어라 노동해도 빈곤의 늪을 절대 빠져나가지 못하는 극단에 위치한 빈자는 몇 명이나 되는가? 실제로 대한민국 대다수 국민들은 극단이 아닌 중상위, 중위, 중하위 계층에 있다.

우리나라보다 훨씬 계층 간의 소득격차가 심한 미국도 양극화라는 말은 잘 쓰지 않는다. 2000년대 초 참여 정권 시절 청와대에서 양극화라는 말을 공식적으로 처음 사용하기 시작했는데, 이 말은 국민을 분열시키고, 국민을 대립시키고, 국민을 서로 미워하게 하고 국민의 질투를 부추기는 표현이다.

우리나라는 중산층이 엄연히 존재하는 국가다. 그것도 상당수 말이다. 심지어 대한민국은 전 세계 상위 5% 경제 대국이기에 하위 계층의 삶의 질도 세계 인구 70억 기준으로 명백하게 상위권이다.

양극화라는 단어를 사용함으로써 대한민국을 지옥처럼 생각하게 만드는 것은 비겁한 짓이다. 그저 분노를 이용해 표를 팔아먹으려는 놈들로밖에 보이지 않는다. 올바른 용어는 격차다. 양극화는 격차라는 단어에 부정적인 느낌을 증폭시키기 위해 특정 세력이 의도적으로 사용하는 단어일 뿐이다.

달에 300만 원 버는 이도 과소비만 하지 않으면 재산이 꽤 쌓인다. 그 과정에 행복은 저절로 따라온다. 자본주의 사회의 정점만 바라보게 하며 분노를 부추기는 이들을 멀리하라.

나는 자식을 낳으면, 네가 가진 것들을 먼저 바라보며 감사할 줄 아는 사람이 되라고 가르칠 것이다. 소중하기 때문이다. 내 아이가 진심으로 행복하길 바라기 때문이다.

빌린 놈이
승자

국가는 왜 빚을 내는가? 도로 깔고, 터널 뚫고, 지하철 놔주고, 복지도 해야 하기 때문이다. 세금 걷어서 해야지, 왜 빚을 내는가? 세금으로는 모자라기 때문이다. 중앙은행에서 빚을 내면 원래는 없던 돈이 복지를 위해 세상에 뿌려진 것이니 화폐가치가 하락한다.

국가는 이 메커니즘을 교묘하게 이용한다. 40년 전 회사원의 월급이 13만 5천 원이었다는 것을 아는가? 그런데 국가는 40년 전에 빚을 지고 이제야 갚는다. 한 달 내내 죽어라 일해야 갚을 수 있는 돈이 13만 5천 원이었는데, 40년 동안 화폐가치를 살살 녹이고 지금 갚는다.

좀 더 극단적으로 설명해보자. 당신 월급이 5백만 원인데 은행에서 5백만 원을 빌렸다. 그런데 갑자기 5분 만에 인형 눈깔 하나 붙이면 5백만 원을 벌 수 있을 정도로 화폐가치가 하락한 것이다. 돈을 빌린 당신들은 쾌재를 부를 일 아닌가? 맞다. 화폐가치가 꼬라박으면 빌린 놈이 승자다.

전 국민 중에 딱 당신만 40년 전 물가로 이용할 수 있다면 어떤가? 최고의 특권이다. 국가는 그걸 항상 누린다. 대출 만기가 길수록 금리가 높은 이유도 마찬가지다. 돈은 기한의 이익이 있기 때문이다.

그러면 국가가 빚을 왜 내는지 물을 것이다. A와 B 두 명의 정치인이 있다. A는 나라 살림을 생각하여 양심적으로 공약한다. B는 나라 살림이고 뭐고 싹 다 해주겠다고 공약한다. 상식적으로 A를 뽑는 게 정상이다. 하다못해 결혼 상대를 고르더라도 자신의 주머니 사정은 고려하지 않고 빚을 내어 살아가는 이를 고르지는 않는다.

그러나 대한민국 국민들은 미쳐 돌아가서 B가 당선될 확률이 100%다. 아니 200%다. 그러면 A는 이렇게 생각한다. '아, 저렇게 해야 하는 거구나' 그렇게 지금의 정치인들이 탄생한다.

당신들부터 '이거 해주겠다, 저거 해주겠다'하는 이들에게 표를 주기 때문이다.

이는 알코올 중독과 비슷하다. 술을 마실 때는 기분이 좋다. 하지만 다음 날 반드시 숙취가 오듯, 국가가 빚을 많이 지면 당장은 좋을지 몰라도 결국 인플레이션이라는 대가를 치른다.

문제는 한국인들이 달콤함에 중독되어 아직 숙취가 깨지도 않았는데 술을 계속 원한다는 것이다. 지난 70년간 국가부채가 600조인데, 지난 정권 5년간의 국가부채가 410조인 걸 보면 말 다 했다.

밀턴 프리드먼의 말이다.

"정치인들은 세금을 부과하지 않아도 되는 돈을 쓰면서 시민들에게 생색을 낸다. 사실 도로 건설비는 화폐 보유자 모두가 댄 것이다."

공짜를 바라는 놈들아

"There ain't no such thing as a free lunch."

흔히 'TANSTAAFL'로 불리는 문구다. 1840년대 미국의 술집과 레스토랑은 술을 마시는 사람에게 공짜 점심을 제공했다. 과연 공짜일까. 공짜처럼 보이는 것이다. 술값에 이미 점심값이 포함되어 있다. 게다가 그 점심이라는 것은 주로 짠 스낵류이며, 그걸 먹으면 계속 갈증이 나서 술을 더 찾게 된다.

공짜 점심의 대가는 비싸게 치러야 하는 술값이라는 것이다. 꼭 술값이 비싸지 않더라도 서비스 차원에서 안주를 공짜로 주기도 했다. 이건 정말 공짜인가? 아니다. 손님이 서비스 안주로 인해 술을 더 마실 확률이 증가하기 때문이다. 실제로 사람들은 안주가 많이 남았을 때 술을 더 시키는 경향이 있다(참고로 물은 돈 받고 파는 술집이 많다. 물을 많이 마시면 비싼 술을 마실 확률이 줄어든다.).

질레트사도 면도기를 무료로 나눠주며 면도날을 사도록 유도하고, 맥도날드도 버거 세트 메뉴 구매 시 아이스크림콘을 무료로 나눠 주었다. 서비스를 구성하는 요소 중 일부를 제공하여 수익률을 높이는 전략, 이를 프리코노믹스(Freeconomics)라 한다. 이렇듯 공짜 뒤에는 항상 미끼가 있다.

기본소득? 공짜 아니다. 재난지원금? 공짜 아니다. 최저임금 인상? 공짜 아니다. 부유층 세금 인상? 공짜 아니다. 대가가 반드시 따라온다. 공짜로 무언가를 해주겠다 하며 그에 따른 대가는 입도 뻥긋 안 하는 인간들이 제일 무서운 법이다.

장담컨대 당신이 공짜를 좋아할수록 당신의 인생은 저 아래 밑바닥을 평생 기어다닐 확률이 높다. '공짜 치즈는 쥐덫에만 놓여있다'라는 러시아 속담을 기억하라.

나도 당신에게 대가 없이 뭘 주지 않는다. 내가 구독자들에게 대가 없이 영상을 제공하는가? 자본주의 사회에서는 인지도와 관심이 돈이다. 즉 당신의 관심으로 인해 내 몸값이 올라가기에 영상을 만드는 것일 뿐, 나는 절대로 당신들을 위해 영상을 찍지 않는다.

지금 이 말도 당신이 내게 지불한 책값이 있기에 하는 것이다. 얼굴도 모르는 당신을 걱정해서? 어디 꿈꾸다 왔냐? 나는 욕을 처먹으면 먹었지, 세상을 위해 일한다는 꼴값 위선은 떨고 싶지 않다.

부자가 똥개 이름이냐

당신들 대부분은 부자가 되지 못한다. 벌써 기분 나쁠 것이다. 듣기 싫을 것이다. 그러나 생각이란 걸 해보라. 하류층이란 개념이 없으면, 중산층이라는 개념이 있는가? 중산층이란 개념이 없으면, 부자라는 개념이 있는가? 세상은 잔인할 정도로 상대적이다. 부자는 극소수다. 당신도 그렇기에 부자를 갈망하는 것 아닌가.

금메달이 가치 있는 이유가 무엇인가. 한 놈만 받을 수 있기 때문이다. 두 놈, 세 놈 받을수록 가치는 내려간다. 은메달이 존재하고, 동메달이 존재하고, 그 밑에 수많은 이들이 밑을 깔아주고 있기에 가치 있는 것이다.

이 당연한 것을 약속이라도 한 듯 쉬쉬한다. 욕을 처먹기 때문이다. 그러나 나는 인정했다. 내가 부자가 못 될 확률은 99.9%다. 포기한다는 말인가? 당신이나 포기해라. 당신이 어떤 분야에서 구르고 있든 간에 그 분야의 상위 0.1% 안에 들 정도로 치열하게 굴러야 한다는 걸 받아들인 것뿐이다.

노력하면 다 될까? 운도 따라줘야 한다. 죽도록 노력해도 안 될 수 있다. 그래서 0.1%인 것이다. 그리고 노력마저 안 하면 당신들이 뭘 어쩌겠다는 말인가. 당신들 뭐 되는가? 쥐뿔도 없으면 그냥 입 닥치고 노력하는 게 당연한 것 아닌가?

나는 이딴 식으로 말하는 놈들에게 혐오와 역함을 느낀다.

"당신도 반드시 부자가 될 수 있습니다."

지랄 염병을 하네.

부자가 어디 똥개 새끼 이름인가?

행복을 물질에서 찾으려 하지 말라

당신의 욕망이 얼마나 충족되어 만족하는지를 효용이라 한다. 당신이 회전 초밥집에 갔다. 당연히 첫 번째 접시가 가장 맛있고, 두 번째 접시부터는 만족이 덜하다. 세 번째 접시부터는 슬슬 물리기 시작한다. 네 번째 접시부터는 배가 부르기 시작하고, 다섯 번째 접시부터는 그만 먹고 싶어진다.

이때 접시를 추가할 때마다 당신이 느끼는 효용의 정도를 한계효용이라 한다. 한 접시 추가될 때마다 한계효용이 줄어들기 마련이며, 이런 현상을 한계효용 체감의 법칙이라 한다.

한계효용은 욕망의 정도에 비례하고, 재화의 존재량에 반비

례한다. 그래서 생존에 꼭 필요한 물이 생존에 하등 쓸모없는 다이아몬드보다 싼 것이다. 물은 충분히 많이 소비하고 있기에 한계효용이 낮고, 다이아몬드는 많이 소비할 수 없기에 한계효용이 미친 듯이 높다.

하다못해 물도 하루에 한 잔 마실 수 있을 때와 3일에 한잔 마실 수 있을 때 만족감이 다르다. 마찬가지다. 아무리 좋은 음식, 좋은 옷, 좋은 집, 좋은 차를 소유하고 있어도 한계효용체감의 법칙이 그 기쁨의 지속 시간을 뭉개버린다.

결국 행복을 물질적인 것에서 찾으려 할수록 자극의 역치만 높아지고, 공허해질 확률이 높다. 당신의 행복을 물질이 아닌 다른 곳에서 찾아라.

미국의 경제학자 소스타인 베블런(Thorstein Veblen)은 본인의 저서인 《유한계급론》에서 명품처럼 가격을 올릴수록 과시효과가 생기는 사치재에 한하여 경제학의 절대 명제인 '가격을 올리면 수요가 줄어든다'가 적용되지 않을 수 있다며 의문을 제기했다. 그의 이름을 따서 베블런 효과라 한다.

그는 상층 계급의 소비가 사회적 지위를 과시하기 위해 자각없이 행해진다고 지적한 바 있다. 자본주의가 당신에게 추구하도록 강요하는 것은 물질로 보일 수 있다.

그러나 새겨들어라. 인간의 진정한 행복은 어제 못했던 일을 오늘 할 수 있는 것에서 오는 것이지, 하등 쓰잘데기 없는 과시용 재화에서 오는 것이 아니다.

기회의 평등

결과의 평등보다는 기회의 평등이라는 말이 있다. 동의할 수 없다. 당신들은 모든 여성에게 기회를 평등하게 주는가? 몸무게 150kg에 외모는 처참하고, 몸에서 냄새까지 나는 여자가 있다. 그 여자에게는 조금의 기회도 주지 않을 것이다. 무섭도록 그녀를 차갑게 대할 것이라 확신한다.

당신부터가 멜론 차트 100위권 노래만 재생하고, 아이폰 같은 거대 기업 스마트폰만 들고 다니고, 서점에 가도 베스트셀러 코너만 기웃거리고, 브랜드 의류만 몸에 두르고, 능력 있는 사람만 좋아하며, 예쁘고 잘생긴 사람만 좋아하고, 롯데캐슬, 더샵,

힐스테이트, 자이 같은 1군 건설사만 좋아하면서 기회의 평등을 외친다고? 꼴값에 주접들을 떨어라.

당신부터가 기회를 평등하게 줘라. 행동은 전혀 다르면서도 기회의 평등을 부르짖는 것은 위선이며, 스스로를 기만하는 짓이다. 기회는 당신이 만드는 것이다. 기회를 생산하는 주체가 바로 당신이다.

나에게는 한 번만 보자는 수많은 연락이 온다. 나는 웬만하면 사람을 잘 보지 않는다. 그러나 흥미가 가도록 말을 하는 이들이 있다. 그들은 그렇게 나에게 원하는 걸 가져간다. 내가 기회를 준 것인가? 아니, 그들이 기회를 만든 것이다.

거지새끼도 아니고 기회를 누구에게 달라고 하지 마라. 기회는 없어지지 않는다. 당신이 놓치면 다른 이가 잡는다.

리스크에 대한 오해

리스크에 관하여 완전히 잘못 알고 있는 이들이 있다. 똑같은 크기의 리스크도 사람마다 다르게 받아들이기 마련인데, 자신의 기준을 남들에게 강요한다.

나는 돈이 별로 없던 시절에 무리한 베팅을 많이 했다. 주식도 레버리지를 3배 이상 썼으며, 부동산도 전세 끼고 여러 채 샀다(매우 위험하며 망할 뻔했다.).

나의 리스크 용인도가 높은 이유는 무엇일까. 그렇다. 나에게는 평생 지금 이 모양 이 꼴로 사는 것이 진정한 리스크였다. 지금 당장 투자에 실패하여 돈을 잃는 것이 리스크가 아니었단 말이다.

평생 몇만 원에 고민하고, 직장에 예속되어 자유롭지 못한 삶을 사는 것이 죽을 만큼 싫었다. 이미 내 삶은 더 이상 내려갈 곳이 없었다는 말이다.

"리스크 생각 안 하냐?" 주제넘게 이런 말을 뱉는 놈들을 인간 취급도 안 하는 이유다. 당신의 기준을 남들에게 들이밀지 마라.

나는 그래서 지인들이 무모한 사업과 투자를 계획하고 있더라도 아무 말 하지 않는다. 그들의 절박함은 내가 헤아릴 수 있는 것이 아니기 때문이다.

세상에는 당신보다 절박한 사람들이 많다. 그리고 당신 앞가림이나 잘해라. 도전해 본 적도 없는 놈들이 감히 누구에게 훈수를 놓는단 말인가.

새겨들어라. 당신이 밑바닥을 기고 있다면 그 상황 자체가 리스크가 제로에 수렴한 상태이다. 리스크는 상대적인 개념이다.

"꺼지지 않을 불길로 타올라라."

16세기의 시인 루이사 시게아(Luisa Sigea)의 말이다. 나는 그녀의 말이 참 좋다.

투자와 도박성

투자라고 하면 어떤 이미지가 떠오르는가? 월스트리트? 실시간으로 움직이는 환율시장? 아니다. 던질 투(投)에 재물 자(資), 자본을 던진다는 뜻이다. 당신 손에 있는 걸 던져 당신 손을 떠난 것이다. 한번 떠났으면 던진 만큼 돌아오지 않을 수 있다.

투자와 도박성을 분리해서 말할 수 없다. 하지만 대부분의 인간들은 이것을 죽어도 인정하지 않으며, 자칭 투자 고수들에게서 기만의 냄새는 더 짙게 풍긴다. 도박성이라는 단어가 어감이 나쁘기 때문일까. 자기 실력을 과시하고 싶은 걸까.

나는 "이기고 시작하는 투자", "필승 투자법" 이런 개소리를 늘어놓는 놈들을 혐오한다. 당신들이 아는 대형 유튜브 채널 포함이다. 나는 그들에게 잘 보이고 싶지도 않으며, 이렇게 하면 무조건 돈을 벌 수 있다 말하는 것 자체를 사기라고 생각한다.

성공 확률을 높이는 방법이야 당연히 있을 것이다. 내가 그것마저 부정하는 것은 아니다. 그러나 절대 명제는 변하지 않는다. 투자는 도박성이 있다. 현혹되지 마라.

내가 가짜를 한두 명 만나봤겠는가? 막말로 도박성 없는 투자가 정말 존재한다 해도 왜 그걸 당신들한테 알려주는가? 당신들 나에게 뭐라도 되는가? 악어 입에 스스로 기어들어 가지 마라.

나는 그래서 부동산 투자를 불로소득이라고 하는 인간들을 보면 토악질이 나올 것 같다. 불로소득이면 당신들은 왜 안 하냐? 투자금이 없어서? 아니 투자금 없는 게 자랑이냐? 남들이 밑바닥에서 개처럼 살면서 종잣돈을 모을 때 당신은 뭘 했는가? 개 풀 뜯어 먹는 소리 집어치우고 밖에 나가 노가다라도 뛰어라.

나는 지름길 따위 모른다. 쉽게 부자 되는 법 같은 건 모르겠다. 그런 허상을 팔고 싶지 않다.

그들은
맞춘 게 아니다

내가 만약 당신들에게 앞으로 집값이 오를 테니 매수하라 했다 치자. 그런데 진짜 맞춘 것이다. 그러나 내 재산이 최소 10배 늘어난 게 아니면, 그건 진짜 맞춘 것이 아니다. 말만 싸지르고 본인은 배팅하지 않았는데, 그게 어떻게 맞춘 것인가? 말은 누구나 한다.

집값 올라간다, 내려간다는 말은 초등학생도 유튜브 찍어 올릴 수 있다. 그 초등학생들 중에서도 절반은 맞춘다. 그리고 당신들은 그 맞춘 사람들을 추종하고 버리기를 반복한다. 정말 골때린다. 투자 실력이 늘 리 없다.

속지 말라. 미래를 맞혀준다는 구루를 찾지 말라. 당신이 공부하고, 당신이 판단해서, 당신이 확신을 만들고, 당신이 도박성을 안고 베팅하라.

당신이 몸으로 부딪치며 머리를 쥐어짜 분석하여 수많은 시행착오를 겪을 때 자신의 투자기준과 직관이 생기는 것이며, 이는 투자 실력을 다듬는 근원이다.

듣기 좋은 소리 해주면 나도 편하다. 그러나 가슴에 손을 얹고 생각해보라. 내 구독자들에게 지역 추천 투자 강의를 팔아먹으면 돈이 안 될까? 진짜로? 그들이 정말 안 살까? 산다. 그러나 나는 그들을 개돼지 취급하고 싶지 않다.

미래를 맞춘다고 속삭이며 영혼을 넘긴 대가로 돈을 벌고 싶지 않기에 팔지 않을 것이다. 이는 나의 부모와 나를 응원하는 이들을 모독하는 짓이며, 내 긍지를 훼손하는 일이다.

새겨들어라.

그들은 맞춘 게 아니다.

기회는 거지같이 생겼다

기회라는 건 살면서 한 번쯤 오기 마련이다. 그렇게 인생이 바뀌기도 한다. 인생이 바뀐다는 건 내가 사는 집, 내가 먹는 음식, 내 주변의 사람이 바뀐다는 뜻이다. 물질적으로 아무것도 바뀐 것이 없는데, 뜬구름 잡는 정신 승리하는 것을 두고 인생이 바뀌었다 정의하지 않는다. 나는 그런 꼴값 떠는 이들을 멀리한다.

나는 갈망했다. 인생을 바꿔줄 기회라는 건 어떻게 생겼을까. 생각해보면 나는 부자 될 기회를 많이 놓쳤고, 그래서 지금도 부자는 아니다. 그러나 지나고 나서 보니 느낀 바가 있다. 특정 투자처를 지켜보고 있었는데, 매수 적기. 기회였던 순간에 그 투자처가 누가 봐도 거지같이 생겼다는 것이다.

너무 많이 떨어졌고, 계속 떨어지고 있어 손이 가지 않았다. 말 그대로 정말 거지같이 생겼다. 달리 표현할 방법이 없다. 누군가 내 얼굴에 대고 이리 말하는 것 같았다.

"지금 꼬라박고 있는 거 안 보이냐?"

"이거 사면 망한다."

"봐라. 도전했다가 지하 밑바닥으로 빨려 들어간 이들이 이렇게 많다."

그러나 생각해보라. 비행기가 가장 안전한 때가 언제인가? 비행기 사고가 나고 일주일 지났을 때다. 모든 항공사가 점검을 철저하게 하기 때문이다. 당신이 장기간 버틸 체력이 된다면 자산이 폭락했을 때 매수하는 것과 자산이 폭등했을 때 매수하는 것 중 무엇이 더 안전할 것 같은가?

대중은 계속 잊는다. 다우 지수가 3만 포인트를 눈앞에 두고 있을 때(모든 주식이 상승하고 모두가 열광하던 그 시기에), 그때가 바로 가장 리스크가 많았던 시기였으며, 부동산 불패라는 말이 만연하던 2021년 하반기가 결과적으로는 가장 리스크가 컸다(참고로 나는 부동산 시장이 장기간 침체될 것이라 보지 않는다.).

오히려 주식이든 부동산이든 폭락의 공포가 너무 깊어서 경제 전문가들은 대공황이 오네 어쩌네, 전 세계가 망한다는 이야기가 나오던 그때. 모든 언론에서 세상이 무너질 것이라고 말하던 그때. 모두가 겁에 질려 공포를 부추기던 그때. 사실 그때가 가장 리스크가 작았을 때였다.

IMF, 리먼 사태, 코로나 사태, 이 시기에 자산을 산 사람이 이겼는가, 판 사람이 이겼는가? 당신은 절대로 바닥을 맞출 수 없다. 그러나 한 가지 확실한 건, 주식시장과 부동산 시장이 반등에 실패한 적은 역사를 통틀어 단 한 번도 없다는 것이다. 단 한 번도. 그래서 나는 투자를 하며 가장 중요한 것이 체력이라 믿는다.

기회는 거지같이 생겼다. 거들떠보기도 싫게 생겼다. 그래서 기회를 보는 사람이 적은 것이다. 기회가 아닌 것 같기 때문이다. 그러나 생각해보라. 막말로 아무나 볼 수 있으면 그게 기회인가? 그리고 욕 좀 하자. 마음 편한 투자? 정신 나간 소리 좀 그만해라. 그딴 거 없다. 허상이다.

투자하며 마음이 편하다면 자산 규모에 비해 투자금이 적거나 애초에 자산가치의 변동 폭이 크지 않은 경우, 둘 중 하나다. 투자 과정에서의 스트레스는 끝도 없이 당신을 괴롭힐 것이다. 그것은 부에 진입 시에 지불하는 수수료다.

불만 갖지 말라.

당신은 소중하지 않다

당신은 이런 말을 들으며 자랐을 것이다.

"너는 정말 소중한 아이다."

"너는 사랑받기 위해 태어났단다."

"너는 정말 특별하다."

귀에서 피가 나도록 들었을 것이다. 그래서 착각한다.

'난 소중하구나.'

'난 특별하구나.'

'내가 짱이구나.'

그런데 말이다. 막상 당신이 세상을 살아보니 어떤가? 사람들이 당신을 특별하게 대하는가? 사람들이 당신을 소중하게 대하는가? 소중은커녕 눈길조차 주지 않는다.

당신 같은 유기체는 지천에 깔렸으며, 학교에 가도 당신처럼 너무나도 소중한 이들이 모여있고, 학원에 가도 당신처럼 너무나도 소중한 이들이 모여있고, 직장에 가도 당신처럼 너무나도 소중한 이들이 모여있다. 당신처럼 소중한 이들이 5천만 명이다.

그러다 보니 절규한다.

'내가 소중한 줄 알았는데, 아무것도 아니었구나.'

'나보다 더 소중하게 대접받는 놈들이 깔렸구나.'

이러면서 세상에 대한 불만만 걷잡을 수 없이 커진다.

당신에게 소중하다고 말했던 어른들을 보라. 더 이상 당신에게 쥐뿔 아무 관심도 없다. 소중하지 않기 때문이다. 나한테 욕을 퍼부어라. 말리지 않는다. 소중하지 않기 때문에 세상은 당신에게 무엇 하나 거저 주지 않는다. 십 원짜리 한 장도 주지 않는다.

소중하지 않기 때문에 뭔가를 얻으려면 내가 발악해야 하고, 내가 증명해야 하고, 내가 노력해야 한다. 잔인하다는 것을 나도 안다. 내가 그래서 늘 세상의 차가움에 대해 말하지 않는가.

그러나 내가 조금도 소중하지 않다는 걸 받아들이면, 삶에

빛이 보인다. 사람들이 나를 소중하게 대하지 않아도 원망하지 않는다. 그리고 새로운 것들을 깨닫기 시작한다. 당신처럼 소중하지 않은 이들이 하루하루 최선을 다하며, 소중하지 않은 이들 각자가 제공하는 서비스 덕분에 경제가 맞물려 돌아가고, 대한민국이라는 기적의 경제 대국이 탄생했음을 알게 된다. 세상을 돌리는 주체가 소중하지 않은 이들이다.

내가 유튜브에서 자주 하는 말이 있다.

"당신은 조금도 소중하지 않다. 그러니 이 염병할 세상에서 우위에 서기 위해 발악하라."

나는 내 자식에게도 똑같이 말할 것이다.

"너는 조금도 소중하지 않다. 나한테나 소중하지, 남들에게는 쥐뿔 하나도 소중하지 않다."

그러니 그런 세상에 불만 갖지 말라 할 것이다.

삶이라는 건 이렇듯 잔인하다.

질투는 생물학적인 고통

암사자 아홉 마리와 수사자 세 마리가 있다. 수사자 세 마리가 공평하게 세 마리씩 암사자를 차지할까? 가장 강한 한 마리가 암컷 아홉 마리를 독식한다. 암컷들은 가장 강한 우두머리를 원하기 때문이다. 이것이 자연의 법칙이다. 나머지 수사자 두 마리는 질투를 느낀다.

여기서 말하는 질투는 단순한 감정 따위가 아니다. 어마어마한 생물학적인 고통이다. 그들은 정말 아파한다. 유기체의 생물학적 존재 이유는 번식이기 때문이다. 존재의 목적과도 같은 번식을 못 하니, 신체가 고통을 주며 암컷을 독식하는 저 잘나가는 놈을 죽이라 말한다.

그래서 수사자 두 마리가 힘을 합쳐 대장을 죽이기도 한다. 그리고 나머지 암컷을 차지한다. 수컷 한 마리와 여러 마리의 암컷, 새끼들로 이뤄진 사자들의 무리를 프라이드(Pride)라고 하는데, 그렇게 프라이드의 지배구조가 바뀐다.

인간의 질투도 이와 비슷하다. 인간도 생물학적인 고통을 느낀다. 나보다 잘난 이가 보이면 고통을 느끼도록 진화해 온 것이다. 당신 선조 중 질투를 느낀 이들만 살아남았으며, 그들의 후손이 당신이다. 당신도 질투로 가득 찬 유기체다.

그러나 사자는 대장을 죽여도 자기가 대장을 대체할 수 있고, 이전 대장의 암컷들이 자기를 따르지만, 인간은 전문가와 기술자가 생기면서 판도가 바뀐다. 농경 시절에는 잘난 사람을 죽여도 내가 대체할 수 있었다. 농사는 누구나 할 수 있기 때문이다.

지금은 다르다. 당신이 백종원을 죽이면 그를 대체할 수 있는가? 여자들이 당신을 좋아하는가? 꿈 깨라. 인간에게 질투는 하등 쓸데없는 쓰레기 같은 감정이다.

현대인들은 잘난 사람을 죽일 수 없기에 자살하는 경우가 있다. 질투를 못 이겨 자유를 팔기도 한다. 잘 사는 것처럼 보이기 위해 미래를 갈아 넣어 차를 사고, 명품을 사고, 호캉스를 즐긴다. 결국 저것들을 유지하는 비용을 충당하기 위해 평생 노예처럼 일한다.

당연히 당신 손에 남는 것은 없다. 질투는 당신을 공허하게 한다.

미래의 나를 존중하라

대부분의 인간들은 미래의 나를 존중하지 않는다. 현재의 나는 존중받고 싶어 하면서도 말이다. 현실적인 목표라는 명분으로 목표를 지나치게 낮게 잡는다.

미래 목표는 미래의 내가 기준이 되어야 한다. 미래의 나는 현실의 나를 기준으로 세운 목표를 원하지 않을 것이기 때문이다.

당신이 60세가 되었다고 생각하고, 20세의 당신을 모니터로 바라본다고 하자. 그 어린 청년이 현실과 적당히 타협하면서 쥐꼬리만 한 목표를 잡고 있는 걸 보는 당신은 마음이 어떨 것 같은가. 가슴이 미어지고 찢어질 것이다.

지금 당신이 처한 현실을 기준으로 목표를 세우지 마라. 5년 후의 목표는 5년 후의 내가 기준이 되어야 한다. 5년 후의 나는 당신이 생각하는 것보다 훨씬 뛰어난 존재일 것이다.

나는 늘 나에 대한 존중을 잊지 않았다.

나에 대한 사랑을 잊지 않았다.

당신도 당신 스스로를 존중하라.

삶이 얼마나 짧은가

〈wait but why〉라는 외국 블로그에서 글을 하나 보았다. 당신이 90세까지 산다 가정하고, 당신 삶의 기간(A 90- Year Human Life)을 도표로 만들면 이렇게 생겼다.

A 90- Year Human Life in Years

90년의 인간 수명(연 단위)

◇ ◇ ◇ ◇ ◇ ◇ ◇ ◇ ◇ ◇
◇ ◇ ◇ ◇ ◇ ◇ ◇ ◇ ◇ ◇
◇ ◇ ◇ ◇ ◇ ◇ ◇ ◇ ◇ ◇
◇ ◇ ◇ ◇ ◇ ◇ ◇ ◇ ◇ ◇
◇ ◇ ◇ ◇ ◇ ◇ ◇ ◇ ◇ ◇
◇ ◇ ◇ ◇ ◇ ◇ ◇ ◇ ◇ ◇
◇ ◇ ◇ ◇ ◇ ◇ ◇ ◇ ◇ ◇
◇ ◇ ◇ ◇ ◇ ◇ ◇ ◇ ◇ ◇
◇ ◇ ◇ ◇ ◇ ◇ ◇ ◇ ◇ ◇

A 90- Year Human Life in Months

90년의 인간 수명(월 단위)

(각 줄은 36개월 = 3년)

All the Days in a 90-Year Human Life

90년의 인간 수명(하루 단위)

(2줄 = 1년, 각 섹션 = 10년)

나는 이 단순한 형태의 메시지가 공포로 다가왔다. 당시 2시간 정도 잠에 못 들었다. 우리의 삶이 정말 짧음을 느꼈으며, 짧다고 어디선가 듣기는 하였는데 이렇게 짧구나를 체감했다.

당신이 고등학교를 졸업하고 집에서 독립하는 순간, 인생을 살며 부모의 얼굴을 볼 수 있는 시간의 93%를 쓴 것이다. 고작 고등학교 졸업만 했을 뿐인데 말이다.

이게 맞나 싶어서 계산을 해봤다. 내가 고향에 내려가 부모님을 만나는 빈도를 생각해보니 정확히 들어맞았다. 당신이나 나나 유기체일 뿐이며, 정해진 시간을 잠깐 체류하다 결국 세상을 떠나게 된다.

여기서 당신은 두 가지 교훈을 얻을 수 있다.

첫째, 우선순위가 중요하다.

어떤 이들과 얼굴을 마주할 수 있는 시간은 그들이 당신 삶의 우선순위에서 얼마나 위에 있느냐에 좌우된다. 얼굴을 보는 것이 가치 있다고 느끼는 사람만 보라. 그것은 계산적인 것이 아니며, 당신의 삶을 존중하는 태도다.

둘째, 순간을 소중히 하라.

당신이 누군가와 시간을 보내고 있다면, 당신의 인생이 매우 짧음을 기억하며, 그들과 함께 있을 때만큼은 그 사실을 가슴에 새기고 소중하게 여기라. 상대가 나를 존중하는 한 마주하고 있는 상대에게 최선을 다하라. 그리고 사랑한다는 말은 평소에 좀 해라. 삶은 당신이 내 책을 읽고 있는 와중에도 소진되며, 작년보다 노화된 육신은 우리에게 조소를 던지는 듯하다.

삶을 음미하라.

죽음이 있기에 순간이 더 애뜻하고 소중한 것이다.

죽음은 삶을 완전하게 한다.

굴복하지 말라

조지 오웰(George Orwell)의 디스토피아 소설 《1984》는 의미심장한 메시지를 던진다. 책에 등장하는 오세아니아 사회는 극단적 전체주의를 내세우며 독재 권력으로 국민들의 은밀한 사생활을 철저하게 감시하고, 역사와 언어를 개혁하여 날조하며 인간의 성욕까지 통제한다.

주인공인 윈스턴은 당의 통제에 부당함을 느끼며 저항한다. 그러나 잔인하게도 모든 상황이 절망적으로 흐른다.

그의 연인 줄리아의 말이다.

"놈들이 할 수 없는 게 딱 하나 있어요. 놈들은 당신에게 무엇이든 말하게 할 수 있지만 믿게 할 순 없어요. 마음까지 지배할 순 없으니까요."

내가 방송하며 지칠 때마다 가슴에 새기는 말이다. 하도 특정 정치 세력이 발작하는 소리만 해대니 여기저기서 내 입을 막으려는 시도가 들어오곤 하는데, 그 수위는 당신이 무엇을 상상하든 그 이상이다. 그러나 그들이 내 마음까지 지배할 수는 없다.

나는 위선과 싸우는 생명이다.

나는 위선 속에 타는 불꽃이다.

나는 영원히 투쟁하며, 사유하며, 그 끝에서 의미를 찾는 존재다.

3부

내 삶에
관하여

돈을 아낀다는 건

내 나이 스물셋. 진라면은 개당 500원이었고, 라면 사리는 개당 250원이었다. 돈을 아끼기 위해 진라면 두 개를 끓이지 않고, 진라면 한 개에 라면 사리 한 개를 넣어 끓였다. 부모님이 보내주신 쌀로 밥을 짓고, 오뚜기 데리야키 소스를 업소용으로 사서 비벼 먹기도 했다. 그마저도 하루에 한 끼 먹었다.

다섯 벌 정도만 남기고 가지고 있던 모든 옷을 팔아버리기도 했다. 생수를 배달시키지 않고 전기 포트에 물을 끓여 먹었으며, 내 돈으로 커피라는 것을 사 먹은 적이 없고, 고향 내려가는 차비와 시간이 아까워 6개월 넘게 못 내려간 적도 있다. 머리는 6

개월간 안 자르고 장발로 유지했다.

죽지 않을 정도로만 난방을 했고, 일회용 면도기를 3개월간 사용했으며, 샴푸와 바디워시는 늘 최저가 대용량 제품이었다. 손목에는 시계가 없었고, 지갑은 다이소에서 5천 원 주고 샀으며, 휴대폰 요금제는 늘 1만 원이었다.

물론 모든 절약은 시간을 낭비하지 않는 선에서 하였다. 대중교통으로 오랜 시간이 걸린다면 서슴없이 택시를 탔고, 돈 주고 책을 시키면 될 것을 왔다 갔다 시간 낭비하며 도서관에서 책을 빌려 읽는 짓거리나 식재료 500원 더 싸게 사기 위해 10분 더 멀리 있는 곳으로 걸어가는 미련한 짓은 안 했다는 말이다.

내 저축률은 95% 아래로 내려간 적이 단 한 번도 없다. 그렇게 하여 월수입 500만 원으로 2년 만에 1억이 모인다. 당시의 나는 독종 그 자체였으며, 주변에서 뭐라 하든 X까라는 마인드로 돈을 모았다. 거지새끼처럼 보여도 전혀 부끄럽지 않았다. 나는 나이 먹고 아끼며 살아가는 것이 더 슬프다고 믿는다.

당신이 특별한 재능이 있는 게 아니라면, 사업가의 마인드가 어쩌네 하면서 주접 싸지 말고 악착같이 돈부터 모아라.

이것이 정석이다.

당신이 쥐뿔도 없다면

라면 물을 올린다. 물이 끓기 전까지 책을 읽는다. 물이 끓으면 면과 스프를 넣는다. 면이 익을 때까지 책을 읽는다. 다 익으면 접시에 면을 모두 덜어낸다. 그렇게 3분간 또 책을 읽는다.

그러면 면이 먹기 좋게 식어있다. 면이 뜨거우면 빨리 먹지 못하기에 생각해 낸 것이다. 식은 면을 먹는 데에 드는 시간은 2분이다. 식사 시간이 2분이었단 말이다.

사무실 퇴근 후 배달할 때도 오디오북과 미드 녹음본을 들었다. 그러다 한 번은 사고로 죽을 뻔했다. 나는 아직도 급정지한 렉서스를 기억한다. 내 눈앞 1미터였다.

렉서스 차주는 나한테 온갖 쌍욕을 10분간 퍼부었다. 이어폰 끼고 일한 내 잘못이기에 군말 없이 들었다. 이해한다. 살인자 될 뻔했으니.

배달하다 배고프면 집에 들르는 시간이 아까워 미리 집에서 챙겨온 초코바를 까먹었다. 그마저도 신호 대기 시간에 먹었다.

외출 일정이 있을 때는 그날 동선에 따라 은행 업무와 각종 서류 발급을 동시에 처리했다. 부모님과의 통화마저 잡무를 처리하며 했다.

시간을 병적으로 아끼며 일했고, 개처럼 살았다. 내 삶은 늘 강박의 연속이었다. 내가 가진 유일한 재산이 시간밖에 없었기 때문이다. 시간이라도 아껴야 했다.

당신도 가진 게 쥐뿔도 없으면 이렇게 하라.

절박하게 깎아라

당신이 부동산 거래가 처음이라면 새겨들어라. 부동산 중개사무소에 들어가서 정말 괜찮은 물건이 있다면, 매수할 의향이 있음을 적극적으로 어필한다. 중개사와 상호작용이 얼마나 되었느냐에 따라 자신의 통장 잔고도 보여준다.

돈이 분명히 있고 떠보는 것이 아님을 확실히 한다. 내가 어중이떠중이가 아닌 진성 고객임을 각인시켜야 한다.

그렇게 괜찮은 급매를 끌어내어 기록한다. 다른 중개사무소에서도 같은 방식으로 급매를 끌어낸다. 이 짓거리를 하루 종일 죽어라고 하면, 꽤 괜찮은 급매 리스트가 완성된다.

그 급매 리스트 매물 하나하나에 매일 같이 전화하여 추가적인 가격 조정이 가능한지 묻는다. 당연히 안 깎아준다. 그래도 집요하게 매일 전화한다. 이 금액이면 반드시 계약하겠다 하여야 그나마 가능성 있다. 개처럼 해라.

결국 매도인의 기세가 꺾여 급매에서 한 번 더 가격이 깎이는 경우가 발생한다. 잔금 날짜는 6개월 정도로 여유롭게 잡는다. 아직 안 끝났다.

본 계약 당일에 매도인에게 돈 안 급하냐고 물어본다. 그리고 잔금을 6개월이 아니라 한 달 안에 처리할 테니 더 깎아 달라고 요구한다(매도인 기분이 상해 계약을 뒤집어 버릴 수 있으니 조심스레 말하라.). 여기서 한 번 더 깎인다.

나는 월급 200만 원 받는 이들이 부동산 협상을 X같이 하는 걸 한두 번 본 것이 아니다. 배달비는 아까워하고, 어머니께 꽃 한 송이 사주지 않으면서도 몇억이 움직이는 아파트를 깎기 위한 협상은 시도조차 하지 않으며, 좋은 매물을 찾기 위해 직접 뛰어다니지도 않고 전화만 대충 해보고 만다.

정말 골때린다. 확 한 대 갈겨버리고 싶다. 부자가 X으로 보이냐? 중요한 건 거래 실력이다. 이렇게까지 깎아야 하냐면서

비아냥거리는 놈들은 잘 들어라.

그러니까 당신이 그 모양 그 꼴로 살고 있는 것이다.

자존심에 관하여

픽업 대기하며 헬멧을 배달통에 넣어두고, 하루 종일 굶었기에 초코바를 꺼냈다. 그러다 무용과 동기랑 마주쳤다. 그는 아직도 춤을 추는 듯했다. 이름 있는 백댄서 크루에 들어가 방송 활동도 하고 있었다.

꿈을 향해 달려가는 그에 비해 내 꼬라지는 너무나 지저분했다. 그가 내게 지금 뭐하냐 물었다. 아직 내 오토바이를 보지 못한 것 같았다. 당시 무인 매장 창업 전이었기에 쥐뿔도 없던 나는 순간 얼굴이 화끈거려 동사무소 가는 길이라 둘러댔다.

오랫동안 사람을 만나지 않은 탓에 대화하며 말을 더듬었고,

무슨 말을 했는지도 기억이 안 난다. 대화를 마치고 그 친구는 햄버거 먹으러 왔다면서 내가 픽업 예정인 가게로 들어갔다.

심장이 멈추는 듯했다. 매장에 피해가 갈 것을 알면서도 배달을 취소하고, 그 친구의 눈에 띄지 않게 재빠르게 오토바이를 끌고 도망갔다. 자존심과 배달비 5천 원을 바꿔 먹은 것이다. 이제 그 친구와 멀어졌겠거니 하며 오토바이에서 내렸더니 엄마에게 전화가 왔다.

받았다. 아들 잘 지내냐는 것이었다. 짜증이 날 정도로 엄마 목소리는 따뜻했다. 엄마에게 전화하는 시간까지 아껴가며 개처럼 일했는데, 고작 자존심 때문에 5천 원을 날렸다는 사실에 격분했다. 태어나서 나에게 이렇게까지 경멸을 느낀 적은 없었다.

잘 지낸다 했다. 엄마는 눈치가 빠른 편이다. 내 목소리에서 슬픔을 느낀 듯 바로 나중에 연락하자 하셨다. 내가 무너질 것을 알았기 때문일까.

나는 바로 그 친구에게 연락했다.

"나 사실 배달한다. 아까도 배달하고 있었는데 쪽팔려서 거짓말했다."

그 친구와는 아직도 연락한다. 그 이후로 나는 단 한 번도 자존심을 부려본 적 없다. 술 취한 고객에게 호빠 선수같이 생겼다는 말을 들어도, 다 쓴 물티슈를 바닥에 던지며 이거나 치우라는 소리를 들어도 나는 늘 환하게 웃었다.

부동산 가격이나 권리금 협상이라도 할 때는 개처럼 살아온 초라한 과거를 다 까발리면서 내 절박함을 어필하여 가격 조정을 조금이라도 더 부탁했다. 과거 사진까지 보여줬다. 그렇게 나는 내 자존심을 돈으로 바꿔 먹었다.

가정이 생기면 더 서슴없이 자존심을 팔아먹을 것이다. 자존심은 사라고 있는 것이 아니다. 팔라고 있는 것이다.

당신은 자존심이 중요한가.

글쎄다. 무엇을 위해?

개처럼 박박 기어라

당신은 개처럼 일한다는 게 무슨 의미인지 아는가. 한눈에 봐도 남들과 다를 정도로 기어야 한다는 말이다.

인천 청라동의 프랜차이즈 술집에서 일했을 때의 이야기다. 대부분의 직원들은 가만히 있다 호출이 울리면 서빙 한다. 골때린다. 나는 쉬지 않고 바쁘게 돌아다니며 고객의 필요를 확인했으며, 물이 조금이라도 떨어지면 호출하기도 전에 채워드렸고, 고객과 무슨 대화를 하든 얼굴은 환한 웃음으로 가득했다.

조금의 과장도 섞지 않는다. 내 얼굴은 세상에서 가장 밝게 빛났다. 고객이 무언가를 흘린 것 같으면 반사적으로 물티슈가 튀어 나갔으며, 고객의 테이블이 깔끔하게 유지되도록 중간중간 양해를 구하고 정리해 드렸다. 모든 고객에게 말이다.

안주 컴플레인이 들어오면 닥치고 죄송하다부터 나갔으며, 후속 조치까지 완벽했다. 고객이 들어올 때 나보다 환하게 맞이한 직원은 없었다. 무슨 금덩이라도 온 것처럼 반겼고, 그들과 눈을 맞췄다. 세상 그 누구도 나처럼은 못할 것이다.

고객이 계산할 때는 식사하면서 불편한 점은 없었는지 형식적인 말투가 아니라 진솔한 말투로 살폈고, 손님이 나갈 때는 항상 90도로 인사했다. 20살 손님이라고 해도 말이다.

고객이 취해 나에게 윽박지르더라도 내 표정은 오히려 더 밝아졌으며, 카드를 땅바닥에 던지며 계산하라고 해도 1초 만에 주워서 감사합니다를 외치며 카운터로 향했다.

마찬가지로 그 고객에게도 식사하면서 불편했던 것을 환한 얼굴로 다시 물었다. 카드를 바닥에 던졌던 그 고객은 그 자리에서 팁을 10만 원 꺼냈다. 10만 원보다 울컥했던 것은 그가 내게 한 말이었다.

"오십 평생 자네 같이 서비스하는 사람 처음 본다."

그도 보았을 것이다. 순간 흔들리는 내 눈동자를.

나는 하루도 빠짐없이 매일 매일 팁을 받았다. 단 하루도 빠짐없이 받았다. 5만 원 밑으로 받아본 적이 없다. 프랜차이즈 술집에서 말이나.

주방 설거지 밀려있을 때마다 전부 내가 처리했고, 나보다 어린 주방 직원에게도 선배님이라는 극존칭을 유지했으며, 주방 재료 손질 알려 달라고 졸라서 일을 덜어주었다. 본인이 이 바닥에서 몇 년을 굴렀지만 나 같은 놈은 본 적이 없다고 한다.

시키지도 않았는데 휴무 날에 출근하여 일을 도왔고, 사장도 미친놈으로 보기 시작했다. 고객 중에 술집 오너들도 많았기에 파격적인 조건의 스카웃 제의도 셀 수 없이 많이 받았다. 정말 셀 수가 없다.

고객들은 내 얼굴을 모두 기억하고 있었으며, 다시 방문할 때마다 나 때문에 온다는 말을 귀에 피가 나도록 들었다. 사장은 내게 서비스 제공의 재량을 부여했다.

내가 적은 것은 조금의 거짓도 없다. 당시 같이 일했던 직원들은 모두 알고 있으며, 나는 아직도 그들 중 일부와 연락하고 만난다. 내가 거짓을 말했다면 이 책은 내 수치로 남게 된다. 그 매장 사장님과도 연락 중이며, 지분 투자 이야기는 물론 매장을 가져가는 게 어떠냐는 연락도 받았다.

몸값은 이렇게 올리는 것이다. 당신은 내가 손해 보며 바보 등신처럼 일했다 할지 모르겠다. 그러나 돈 받은 만큼만 일하겠다는 그 태도가 가난으로 처박히는 지름길이며, 그따위로 일하여서 도대체 무슨 경쟁력이 생긴다는 건지 나로서는 도무지 이해 가지 않는다.

열심히 해도 알아주지 않을 거라고? 정말 골때린다. 내가 어디 한두 번 굴러다닌 줄 아는가? 내가 몸담았던 직장 동료들은 아직도 내 독기가 기억이 남는다며 연락한다. 오너가 당신을 알아주지 않았다면 둘 중 하나다. 당신 기준으로 열심히 했거나. 일을 잘하지 못했거나.

오늘도 라이브 할 것이고, 라이브 끝나면 영상 20개가 또 올라간다. 이따위로 올려버리니 다른 유튜버들 압살해버리고 알고리즘을 장악한 것이고, 하루에 구독자가 5,000명씩 오르는 것이다.

유튜브 성장의 특별한 비법? 컷 편집도 안 된 조잡한 영상을 3일 간격으로 대충 올려놓고 노력해도 절대 안 된다며 주접들을 싸고 있다. 나랑 장난하냐? X같은 소리 좀 집어치우고, 개처럼 일해라.

당신은 내가 무너질 것 같은가? 내 유튜브가 망한다고 내가 못 살 것 같은가? 천만에.

나는 돈의 생리를 안다.

세상에서 대가를 받아내는 생리를 안다.

불확실성과 삶

아무리 흥미롭고 기승전결 완벽한 책이라 하여도, 그 책의 내용을 이미 다 알고 있다면 한 장 한 장 넘길 때마다 전혀 설레지 않을 것이다. 다음 장이 어떻게 될지 모르기에 가치 있는 것이다.

당신의 삶도 똑같다. 내일 어떤 여자를 만날지. 내일 갖고 있던 부동산이 폭등할지. 내일 유튜브 구독자가 하루에 만 명씩 오를지. 내일 글을 읽으며 어떤 진리를 깨달을지. 이 모든 것을 모르기에 삶이 설레는 것이다.

삶의 불확실성에 절망한 이들이 보인다. 솔직히 내 알 바 아니다만, 이 책에 지불한 게 있으니 새겨들어라.

당신 부모가 언제, 어떻게 죽을지 정확히 안다면 어떨까.

당신 자식이 언제, 어떻게 죽을지 정확히 안다면 어떨까.

행복할 것 같은가. 내일 내게 어떤 일이 일어날지 모두 알고 있는 삶이란 얼마나 비극인가. 불확실성이 없다면 당신은 미쳐 버릴 것이 확실하며, 불확실성만이 삶을 완전하게 한다. 그것이 당신 삶을 가치 있게 한다.

당신의 부모는 내일 당장 죽을 수 있으며, 나도 내일 당장 죽을 수 있다.

그러니 책을 덮고 늙은 부모에게 전화 한 통 하라.

사랑한다고.

에필로그

삶의 의미는 고통에 녹아있다

시간을 강박적으로 아껴가며 개처럼 일했다. 최저 시급만으로 달에 육백을 가져갔으니 말 다 했다. 사고가 터진 날은 유난히 비가 많이 오던 날이었다. 여느 때와 같이 퇴근 후에 배달을 하고 있었다. 골목에서 트럭이 튀어나와 재빨리 핸들을 꺾고 브레이크를 밟았으며, 바닥에서 곤두박질쳤다.

비록 몸은 구정물투성이로 만신창이가 되었지만, 보호장비도 착용했고 깔끔하게 날아가서 다친 곳은 크게 없었다. 그저

손바닥의 살가죽이 벗겨져 뼈가 보이고, 왼쪽 다리를 절뚝거리며, 내 몸 걱정보다는 넘어진 오토바이로 향했다. 배달 중이던 음식이 망가지지 않았기를 기도하며 말이다.

침을 꼴딱 삼키며 피자 박스를 열었으나 피자는 완전히 으깨져 있었다. 고객께 환불해 드리겠다 하였으나 경멸의 목소리로 계좌번호 보냈으니 돈이나 빨리 보내라는 말만 듣고 전화는 끊겼다.

그날 한 끼도 못 먹고 개처럼 일만 했기에 길바닥에서 비를 맞으며 그 망가진 피자를 먹었다. 사실 모양만 좀 망가졌을 뿐, 너무 따뜻하고 맛있었다. 한 달 내내 라면으로만 끼니를 때우며 수입의 95%를 저축하고 있었기에 황홀할 정도로 맛있었다.

숨도 안 쉬고 먹은 것 같다. 그렇게 비를 맞으면서 찢어발겨진 피자를 허겁지겁 입에 쑤셔 넣는데 갑자기 눈물이 났다. 전혀 슬프지 않은데 눈물이 흘렀던 걸 보면, 눈물이 어쩌다 새서 흘러버렸다는 표현이 맞는 듯하다.

그것은 나에 대한 사랑과 긍지에서 나오는 눈물이었다. 나는 흙탕물로 뒤집힌 나를 위로하였다. 나를 진정으로 위로할 수 있는 이는 나밖에 없었다.

나는 유튜브에서 돈 자랑을 단 한 번도 한 적 없다. 그것을 자랑스럽게 여기지 않는다. 진정으로 자랑스러운 것은 내가 삶을 대하는 태도다. 하루에 15시간 노동은 기본 번들 값이었다.

죽노동이 끝나면 늘 책을 폈다. 닭대가리 되는 것이 싫었다. 당연히 내 모든 잠은 기절의 연속이었다. 휴식? 여행? 기분전환? 가족과의 시간? 그딴 거 없었다.

그렇게 미련하게 노동만으로 25살에 아파트를 한 채 매입했고, 무인 매장도 하나 가졌다. 지금은 헤어졌지만, 사랑했던 여자친구와 함께 지낼 생각에 당시 세상을 다 가진 듯한 행복도 느껴봤다.

당신은 하루에 영상 48개 올리는 유튜버를 본 적이 있는가? 나는 무슨 일을 하든 피를 토하고 독기를 품으며 질주했다. 그 습관 덕에 반년 만에 구독자가 38만이 되었다. 이 글을 쓰는 사이에 38.1만이 되었다. 며칠 안에 40만을 만들 것이고, 두 달 안에 50만을 만들 것이며, 올해 안에 60만을 만들 것이다.

1만 따리라고 조롱하던 놈들은 10일 만에 10만을 찍어버리니 도망갔고, 10만 따리라고 조롱하던 놈들은 30만을 찍어버리니 쥐도 새도 없이 사라졌다. 30만 따리라고 조롱하던 놈들도 댓글을 삭제하고 튀었다. 너 같은 고졸따리 책을 누가 읽냐며 수많은 조롱이 쏟아졌지만, 내 책은 이틀 만에 경제경영 베스트셀러 1위다.

나는 바늘처럼 파고드는 세상의 비바람을 온몸으로 맞는다. 매일 고통스럽고 처절하게 맞는다. 라이브와 댓글 창에서의 학력 조롱? 솔직히 아프다. 전라도 출신이라며 지역 조롱? 솔직히 아프다. X같이 생겼다는 조롱? 마찬가지로 아프다. 안 아픈척하지 않는다. 그것은 오히려 남자답지 못하다. 아플 걸 알면서도 나아간다. 나는 그렇게 무식하게 살아왔다.

삶의 의미는 세상의 차가움을 온몸으로 맞으면서도 이를 부정하지 않고 직시하는 것에 있다. 전신 거울 앞에 초라한 자신을 정면으로 마주하며 죽이고 싶은 자신의 모습을 죽일 듯이 노려보는 것에 있다. 그렇게 스스로를 죽였을 때 삶의 의미가 더 깊어 진다고 믿는다.

나는 생살이 뜯겨나가고 수없이 넘어지고 부러지며, 삶의 고통을 온몸으로 느끼고 살아왔기에 당신에게 감히 말할 수 있다. 삶의 진정한 의미는 행복이 아닌 고통에 녹아있다.

차가운 자본주의

초판 1쇄 발행 2023년 6월 26일
개정판 1쇄 발행 2023년 7월 21일
개정판 2쇄 발행 2023년 8월 10일

지은이 윤루카스

펴낸이 떠오름
기획 손힘찬
편집 권희중
디자인 김태민
마케팅 고경표, 이민지
영업관리 떠오름

펴낸곳 ㈜떠오름코퍼레이션
출판등록 제2021-000002호(2020년 4월 28일)
주소 서울특별시 성동구 왕십리로 4길 23-1, 3층 301, 302호
전화 070-4036-4586 **팩스** 02-6305-4923
홈페이지 www.risebooks.co.kr
이메일 tteoreum9@nate.com

값 17,500원

ISBN 979-11-92372-48-8 03320